Comment j'ai dégommé ma prof

L'auteur

T. R. Burns (ou Tricia Rayburns) a écrit des livres pour les plus jeunes comme pour les plus âgés. Elle vit à New York, où écrire lui permet de garder l'esprit – et les mains – occupés !

Dans la même série :

L'Académie Kilter T. 2 –
Comment j'ai sauvé ma meilleure amie

T.R. BURNS

COMMENT J'AI DÉGOMMÉ MA PROF

Traduit de l'anglais (États-Unis) par Fabienne Berganz

POCKET JEUNESSE
PKJ·

Titre original :
Merits of Mischief
The Bad Apple

pour Rebecca

Loi n° 49 956 du 16 juillet 1949 sur les publications
destinées à la jeunesse : novembre 2014.

ISBN : 978-2-266-23036-0

Chapitre 1

Tous les mardis, en cours de maths, à 11 h 17 précises, je lève le doigt pour faire une déclaration très importante. M. McGill me regarde par-dessus ses lunettes sales et me demande :

— Oui, Seamus Hinkle ? Qu'avez-vous donc à nous dire ?

Et moi, je réponds :

— J'ai besoin d'aller aux toilettes.

Ce à quoi mon professeur rétorque :

— Et moi, j'ai besoin de vacances aux Bahamas.

C'est une blague entre lui et moi, un petit rituel qu'il a inventé. Plutôt marrant, pour quelqu'un dont le passe-temps préféré est de retenir tous les chiffres du nombre pi.

— Le cours est bientôt fini, poursuit-il. Inutile de revenir ensuite.

Parfait. C'est chaque mardi la même conversation, mot pour mot. M. McGill fait semblant de ne pas s'en souvenir, et mes copains aussi. La plupart du temps, j'aimerais qu'on me remarque plus. Mais pas le mardi.

Parce que le mardi, il y a poisson pané à la cantine.

Ma vie s'écoule comme ça, sans accroc, ce qui me convient tout à fait.

Jusqu'aujourd'hui, où, avant le cours de maths, toute la classe a reçu un e-mail :

> Mes chers élèves,
>
> J'ai fait tomber ma calculatrice dans mon bain et elle est hors d'usage. Je serai donc absent pour la journée, le temps de la réparer.

Du coup, M. McGill sera remplacé par Mlle Parsippany.

Elle a débarqué dans la classe avec ses boucles blondes et ses grands yeux bleus. Elle est super nerveuse. Normal : c'est son premier jour au collège. À 10 h 45, elle a déjà cassé huit morceaux de craie. À 10 h 57, elle a voulu nettoyer les deux tampons en les tapant l'un contre l'autre et a failli mourir asphyxiée dans un nuage de poussière blanche. À 11 h 09, elle a demandé qu'on l'aide à allumer le rétroprojecteur. Bien sûr, personne n'a bougé. Elle a chassé de son pouce les larmes qui lui montaient aux yeux.

La pauvre. Elle ne mérite pas ça. Mais la voir toute fragile me rend plus fort. Et le mardi, pour le poisson pané, chaque seconde est cruciale.

11 h 15. Plus que deux minutes.

Je lève le doigt.

Mlle Parsippany s'agrippe des deux mains à son bureau, comme pour s'empêcher de paniquer.

— Vous avez une question, jeune homme ?

— J'ai besoin d'aller aux toilettes.

Elle se met à fouiller dans le tas de feuilles posé sur le bureau. Les trois quarts lui échappent des mains et s'éparpillent sur le sol.

— Mais... il reste encore... sept minutes avant la fin du cours.

J'attrape mon cartable et me lève :

— Aucun problème. Je vais aux toilettes, et ensuite, direct à la cantine.

— Rasseyez-vous.

Je ne bouge pas. Mlle Parsippany m'observe, le visage tordu par une grimace : les lèvres entrouvertes, elle paraît à deux doigts de vomir dans le tiroir du bureau de M. McGill. Au bout de trois secondes, ses traits se détendent.

— Rasseyez-vous, me répète-t-elle d'une voix plus ferme.

— Mais je vais aux toilettes tous les mardis, à la même heure.

Elle fronce les sourcils.

— Et pourquoi ça ?

C'est vrai, cette situation peut paraître bizarre. Mais j'ai mes raisons.

J'entends une voix couiner derrière moi :

— Ben oui : pourquoi ça ?

Puis, une autre :

— Petit zizi, petite vessie !

Ce qui déclenche un concert de murmures et de gloussements.

Pas la peine que je me retourne pour savoir qui a parlé. Ce sont les deux élèves à qui j'essaye d'échapper tous les mardis.

Écarlate, je reprends :

— S'il vous plaît, il faut vraiment que j'y aille.

— Eh bien, désolée, mais c'est non. Vous avez tenu jusqu'ici, vous pouvez bien vous retenir cinq minutes de plus !

Génial. Je suis tombé sur une prof de maths psychorigide !

J'hésite. Je voudrais me ruer vers la porte, mais mes jambes sont paralysées.

Je me laisse tomber sur ma chaise. J'observe la trotteuse de l'horloge murale avancer au ralenti. Tic !... Tac !... Tic !... Tac !...

À 11 h 19 min 45 s, je jette mon sac à dos sur les épaules et bondis sur mes pieds. À vos marques... Prêts ?...

Driiing ! Partez !

Je m'élance vers la sortie. Trop tard. Une horde de filles me barre le passage. Je suis cerné. Comment les éviter ? À gauche ? Une élève balance ses cheveux en arrière... pile dans mon œil. À droite ? Une autre qui écrit un texto bloque la sortie. Je tente une percée au milieu. Raté : les filles forment un rempart infranchissable, comme si elles étaient reliées entre elles par leurs ceintures à paillettes et leurs créoles en argent.

Lorsque enfin, elles se dirigent vers la cour (avec la lenteur d'un escargot fatigué), je les double à fond la caisse. Enfin, j'essaie. Pas facile, dans ce hall bondé. Quand j'arrive en vue de la cantine, il est presque 11 h 25.

J'ai quatre minutes de retard.

Je m'engouffre dans le self-service...

... et m'arrête net.

Catastrophe. Il y a déjà la queue. Au moins trente

élèves. Cela signifie que je vais me retrouver dans les derniers. Et affronter mon pire ennemi, le cauchemar de mes nuits du lundi au mardi : Bartholomew John.

Immense. Costaud. Capable de se sortir de n'importe quelle situation malgré un vocabulaire (très) limité. Bartholomew John est tout ce que je ne suis pas. En fait, lui et moi n'avons qu'une chose en commun : une passion pour le poisson pané.

Attention : pas n'importe lequel. Celui que préparent Mme Lorraine et les cuisiniers du collège de Cloudview. Fondant à l'intérieur, croustillant à l'extérieur, au goût de marée qui vous parfume l'haleine pendant des heures.

En me voyant arriver, Alex Ortiz, le meilleur copain de Bartholomew John, entrelace ses doigts, tourne les paumes vers le ciel, s'accroupit et me lance :

— Eh, minus ! Je te fais la courte échelle ?

— Ouais, on t'offre un décollage immédiat pour le plafond ! renchérit Bartholomew John sans se retourner.

Je ne prends même pas la peine de leur répondre. D'ailleurs, ils seraient étonnés que je le fasse. Je me hisse sur la pointe des pieds, histoire de regarder ce qui se passe au loin, puis je redescends de quelques centimètres.

Onze interminables minutes plus tard, j'atteins le comptoir. Surtout, ne pas saliver devant la délicieuse odeur de friture et de sel. Parce que du poisson pané, il n'y en aura sûrement plus pour moi.

À cet instant, Bartholomew John s'exclame :

— Oh, dis donc ! Y a du poisson pané ! Alex, tu le savais ?

— Nooon..., répond son copain. Ça alors ! Quelle surprise !

On ne me la fait pas : Bartholomew John n'a pas oublié la mésaventure du début de l'année et il compte me faire payer. L'incident remonte à neuf semaines, peut-être dix. Bartholomew John avait pris les derniers poissons panés ; j'avais voulu en récupérer un ou deux. Grave erreur. Bartholomew s'était d'abord plaint auprès de Mme Lorraine. Puis auprès des cuisiniers. Puis auprès du principal. Brusquement, j'étais devenu un voleur de poisson pané. Un voyou. Un affamé qui l'avait poussé pour lui piquer sa nourriture. Surtout que, selon lui, sa famille ne pouvait pas s'offrir un resto et il économisait toute l'année pour se payer quelques repas à la cantine.

Ici, il faut que je vous précise trois choses cruciales. Un : si j'avais voulu le pousser, j'aurais atterri par terre, conformément aux lois de la physique. Deux : ses parents sont avocats. Et trois : j'avais hérité d'une heure de colle pour la première fois de ma vie. Seul point positif : Bartholomew John semblait m'avoir oublié.

Jusqu'aujourd'hui.

À cause de Mlle Parsippany.

— Il y a du rab, les enfants ! s'écrie Mme Lorraine en versant une pelletée de poisson. J'avais oublié cette fournée dans la friteuse. Faut dire que j'étais occupée à chasser ce rat géant hors de ma cuisine...

— Miam ! se réjouit Bartholomew John en engloutissant les bâtonnets recouverts de chapelure.

Le cœur gros, je regarde Mme Lorraine lui servir un cinquième poisson... un sixième... et un septième. J'observe mon ennemi juré les engloutir à la vitesse grand V. Le plat est bientôt vide. Quand je vois luire le fond huileux, la panique me saisit. J'ai chaud tout à coup. Comme si j'avais été plongé tout entier dans la friteuse de Mme Lorraine.

— Ne t'inquiète pas, claironne cette dernière. Je vais t'en chercher d'autres.

Je m'évente le visage avec un tas de serviettes en papier. Bartholomew John lâche un rot énorme, ce qui me rassure : je sais d'expérience qu'aucun estomac normalement constitué ne peut contenir davantage de poisson pané, aussi délicieux soit-il. Bartholomew John est arrivé à saturation.

Mme Lorraine pose sur le comptoir un plat rempli de bâtonnets tout chauds et s'exclame :

— Et voilà le dernier !

À cet instant, Alex pointe le doigt vers la cuisine.

— Il y avait un rat ? Gros comme une pastèque ? Tout poilu ? Avec une queue aussi longue qu'un lasso ? Un rat… comme celui-là ?

Je quitte le plat des yeux. Pas longtemps. Deux ou trois secondes. Le temps de scruter le point que désigne Alex.

— Il est revenu ? gronde Mme Lorraine. Ah ! La sale bête !

Elle arrache sa toque, empoigne sa spatule et se dirige en courant vers la cuisine.

Diversion réussie. Pour un peu, je n'aurais pas vu Bartholomew John s'emparer d'un carton de lait, l'ouvrir et en verser le contenu dans le plat de poisson.

Il ratatine le carton et le jette sur mon plateau en ricanant :

— Tiens ! Du calcium ! C'est bon pour la croissance !

Je garde les yeux fixés sur le carton. Je meurs d'envie de le lui balancer à la figure, mais je préfère éviter la bagarre. Laissant les poissons nager dans le lait, je fais glisser mon plateau sur le rail, attrape une assiette de salade, une pomme et vais m'asseoir à une table vide, au fond de la salle. Puis, je sors de mon cartable un bloc-notes et un stylo. Je dois dresser une liste.

COMMENT ME VENGER DE TÊTE-DE-MORUE.
1. Faire une nouvelle liste de...

Dix mots. Je n'ai pas le temps d'en écrire davantage. Il y a du grabuge, à l'autre bout de la salle. Je lève les yeux : Alex et Bartholomew John cherchent des embrouilles à trois membres de l'équipe de foot. Je ne sais pas qui a commencé, ni pourquoi ils se disputent. Tout le monde crie en même temps. Tout à coup, Bartholomew John donne le top départ : il pousse le capitaine de l'équipe, qui le repousse ; Alex envoie un direct du droit dans la figure d'un footballeur, qui riposte d'un crochet du gauche. Jambes et bras s'agitent en tous sens. Les coups pleuvent. En trois secondes chrono, tous les élèves et les professeurs se précipitent vers les bagarreurs.

J'en ai assez de ces empêcheurs de faire des listes en rond. Je grimpe sur ma chaise pour assister à la défaite de Bartholomew John. Il va se faire coller. Ou casser la figure. Ou... quelque chose.

C'est ce moment que Mlle Parsippany choisit pour entrer en scène.

Elle fend la foule de spectateurs, avec l'intention d'arrêter la bagarre. Évidemment. Il faut qu'elle se mêle de tout. D'abord, m'interdire d'aller aux toilettes. Ensuite, montrer qu'elle est capable de stopper des élèves dont même les profs les plus baraqués n'osent pas s'approcher.

D'habitude, je réfléchis toujours avant d'agir. Pas cette fois.

Sans quitter Bartholomew John des yeux, je prends la pomme et la jette de toutes mes forces.

Pari gagné : j'ai mis fin au combat.

Et Mlle Parsippany est allongée sur le sol de la cantine.

Chapitre 2

Je l'ai tuée.

Certains affirment que c'était un accident. Que je ne l'ai pas fait exprès. Que j'ai paniqué et que j'ai voulu aider. Peut-être. Mais la vérité, c'est que Mlle Parsippany, notre prof de maths remplaçante, n'a passé que quatre heures et treize minutes au collège.

Et qu'elle est morte à cause de moi.

C'était une raison suffisante pour m'envoyer à l'académie Kilter, le collège pour adolescents en difficulté.

Moins d'une semaine après le drame, Papa, Maman et moi faisons route vers le nord. Par « nord », comprenez : « le Grand Nord ». Le « Presque-pôle Nord ».

Au début de la septième heure de voiture, Papa me demande :

— Ça va, mon grand ? Tu n'as besoin de rien ?

— Reste concentré, Eliot, lui ordonne Maman.

— Je suis concentré, Judith, réplique Papa. Je demande juste à Seamus si…

— Tout ce dont Seamus a besoin, c'est d'être à l'heure. Et si tu ne regardes pas les panneaux, je ne saurai pas où je dois tourner.

Papa se rencogne sur le siège passager et me dévisage dans le rétroviseur. Je refuse de croiser son regard : je préfère contempler le paysage par la fenêtre. Je ne mérite pas sa compassion.

Peu à peu, les maisons se font plus rares ; les arbres, plus gros et plus rapprochés. La route devient pentue et sinueuse. Avec l'altitude, j'ai les tympans qui bourdonnent. C'est tout juste si j'entends les pneus crisser sur le goudron. Je me pince le nez et m'apprête à souffler pour me déboucher les oreilles, quand j'aperçois les lèvres de Maman remuer. Tant pis, je renonce, j'aime mieux ne pas entendre ce qu'elle dit.

Encore plus haut. Toujours plus de pression dans les oreilles, comme si on m'entortillait une serviette mouillée autour de la tête. Des taches blanches, puis rouges, se mettent à danser devant mes yeux.

La voiture finit par s'arrêter. Mes oreilles se débouchent d'un coup. Les taches ont disparu.

— Allez ! On se réveille !

J'ouvre les paupières. Maman est debout et tient ma portière ouverte. Une grille surmontée de fil de fer barbelé se dresse derrière elle, et de l'autre côté un bâtiment de brique grise, sans fenêtres.

Terminus. Tout le monde descend.

Maman se dirige vers le portail. J'enfile mes chaussures, je rassemble mes livres puis sors de la voiture en murmurant :

— Quel calme !

Papa pose sa main sur ma tête.

— C'est plutôt agréable, non ? La paix… La tranquillité…

On reste là, lui et moi, quelques secondes, à écouter le silence de mort. L'école est perdue au milieu d'une forêt où les feuilles des arbres ne bruissent pas, les oiseaux ne chantent pas et le vent ne souffle pas. Il n'y aucune voiture, à part la nôtre. Ce n'est pas possible ; on a dû se tromper de chemin. Ce bâtiment ne peut pas être l'académie Kilter. Le collège pour ados en difficulté – le vrai – se trouve près d'un centre commercial, d'une station-service, bref : dans un endroit civilisé.

Soudain, le portail s'ouvre dans un grincement strident.

Sur ma tête, je sens les doigts de Papa se crisper. Je tente de le rassurer avec un mensonge :

— Ça va aller.

Maman a presque atteint la porte d'entrée. Je la rejoins en jetant des regards alentour. Sous le ciel blanc, l'herbe jaunie est parsemée de plaques de boue. Je frictionne mes bras : j'ai la chair de poule. Le froid ? Ou… la peur ? Dire qu'à la maison il fait doux et que le soleil brille – une belle journée d'automne. Ici, on se croirait à la fin de l'hiver, quand le dégel a déjà commencé mais qu'on n'est pas encore à l'abri d'une tempête de neige. J'ai presque envie de me précipiter dans le bâtiment gris.

J'ai bien dit : presque.

— N'oublie pas : ce collège est le meilleur du pays, me serine Maman. Je veux que tu obéisses à tes professeurs. Au doigt et à l'œil.

Elle marche d'un pas pressé ; je dois presque courir pour rester à sa hauteur.

— Promis. Je...

— Promis ?

La voix a surgi de nulle part, au-dessus de nous. Maman s'immobilise. Je fais un pas sur le côté pour éviter de lui rentrer dedans.

— C'est un peu tard pour faire une promesse, vous ne croyez pas ? reprend la voix.

J'ai la sensation qu'on me hurle dans les oreilles avec un porte-voix. Je regarde devant moi, en direction de la grande porte grise, à gauche, à droite, derrière : personne.

— Ici, à l'académie Kilter, nous entendons et nous voyons tout, enchaîne la voix. Mieux vaut garder cela à l'esprit.

Du menton, Maman désigne une petite boîte noire fixée au-dessus de l'entrée.

— Il y a des caméras de sécurité, chuchote-t-elle en faisant coucou de la main à l'objectif.

Et elle repart dare-dare vers l'escalier. Mes jambes sont lourdes. Je dois me forcer à monter une marche, puis deux... la porte s'ouvre. Une femme apparaît dans l'embrasure.

Enfin... je *suppose* que c'est une femme. Elle porte un pantalon vert sapin, une chemise à manches longues de la même couleur boutonnée jusqu'au cou, et des bottines en cuir noir dont les lacets sont tellement serrés que je me demande comment le sang circule dans ses mollets, particulièrement saillants. D'ailleurs, elle a une musculature impressionnante. J'espère pour elle que son uniforme est en Stretch. Sinon, avec des biceps et des quadriceps pareils, Mme Vert-sapin le déchirerait en deux temps trois mouvements. Ses vêtements paraissent lui coller à la peau, que j'imagine verte, elle aussi. Et si c'était une femme gremlin ?

— Si vous attendez une invitation écrite pour entrer, vous risquez d'être déçus, grommelle Mme Vert-sapin d'une voix masculine.

— Seamus, voici Mme Kilter, m'annonce Maman quand je la rejoins enfin en haut de l'escalier.

— Je... heu... ravi de vous rencontrer.

Papa arrive le dernier sur le perron, en traînant mon sac en toile derrière lui. Il s'éponge le front, prend une profonde inspiration, et s'enthousiasme :

— Quel endroit charmant !

Sur le même ton qu'une voisine aurait pu dire à Maman : « Vos gâteaux sont délicieux ! »

Cloué sur place, je tends la main pour attraper mon sac.

On pénètre à la queue leu leu dans le vestibule. Ça me rappelle le hall d'accueil du cabinet de l'orthodontiste, les plantes vertes, l'aquarium, les fauteuils et les magazines en moins. Un petit bureau en bois et un portemanteau nu trônent au milieu de la pièce.

Au fond, il y a une porte fermée. Je sais ce qui se passe derrière ce genre de porte : des choses très, très désagréables, avec des chaînes, des menottes et des instruments de torture.

— Effets personnels ! aboie Mme Kilter.

Je baisse les yeux. Un rayon de soleil entre par la porte restée ouverte et disparaît derrière un bac métallique.

— Mets tes affaires là-dedans, m'ordonne Maman. Elles doivent être scannées.

Scannées. Au cas où je serais un terroriste armé de couteaux, de bombes et de pistolets. Les gens normaux se promènent avec des téléphones portables et des pastilles à la menthe. Moi, je suis d'emblée considéré comme un criminel.

Je place mon cartable et mon sac dans le container, sans oser demander si je vais les récupérer.

Mme Kilter soulève le tout d'une main et le pose sur son épaule, comme si c'était un oreiller en plumes. Elle traverse la pièce, ouvre un grand tiroir encastré dans le mur du fond et y renverse mes affaires. Trois secondes plus tard, un *bang* métallique se fait entendre.

— Parfait, commente-t-elle en refermant le tiroir d'un coup de hanche. Désirez-vous que je vous indique comment rattraper l'autoroute ?

— Déjà ?

Mme Kilter se campe devant moi et hausse les sourcils. Je me sens pâlir d'un coup. Je bredouille :

— C'est juste que... on est arrivés il y a cinq minutes à peine, et...

Et la visite guidée de l'établissement ? Et le déjeuner ? Et la paperasse administrative ?

— Ce n'est pas une colonie de vacances, me rappelle Maman. Si tu voulais être traité comme un enfant modèle, tu n'avais qu'à te tenir correctement.

Maman me dit toujours ça. Quand par exemple elle me prive de télé parce que j'ai oublié de faire mon lit trois jours de suite. Ou quand elle confisque mes jeux vidéo parce que je joue trop tard et que le lendemain, je m'endors sur mon bol de chocolat au lait. Cette fois, ses mots résonnent différemment. J'ai une boule dans la gorge. Je fixe le sol et tâche de contrôler ma respiration.

Ne vous en faites pas, madame Hinkle, lâche la directrice. Lorsque nous en aurons fini avec lui, votre fils aura un comportement irréprochable. À tel point que vous ne le reconnaîtrez pas.

Et, pour illustrer ses paroles, elle tapote les menottes et l'étui de revolver noir accrochés à sa large ceinture en cuir.

— Je suis rassurée, maintenant, réplique Maman avec un petit sourire.

Elle se tourne vers moi. Je ne parviens pas à la regarder dans les yeux. Je vois le bout de ses talons hauts se placer à quelques centimètres de mes baskets. Mon cœur s'emballe. Elle va me serrer dans ses bras. Même si elle est triste, en colère, déçue, et qu'elle a prévu de m'abandonner ici, tout seul, pendant trois mois. Parce qu'elle m'aime encore et qu'elle ne me laisse pas tomber. Tout va rentrer dans l'ordre.

Maman se penche vers moi, je peux sentir son haleine, qui sent bon le café du matin.

— Tâche de ne pas me décevoir, Seamus, lâche-t-elle dans un souffle avant de me serrer fort pendant une demi-seconde.

J'ouvre la bouche pour lui répondre que oui, c'est promis juré, je vais essayer, mais aucun son ne franchit mes lèvres. Elle passe le seuil de la porte sans ajouter un mot.

Papa m'enveloppe de ses bras.

— Sois courageux, mon grand.

Je sens son ventre onduler contre ma poitrine. Papa fait des efforts pour retenir ses larmes.

— Et n'oublie pas ce que je dis toujours : « Si on est méchant avec toi... »

Sa voix se brise. Voilà, bravo, maintenant, c'est moi qui sens les larmes monter. Je connais la phrase préférée de Papa : « Si on est méchant avec toi, sois gentil, et cette personne mourra. » Maintenant, il ne peut plus dire ça. Vous savez pourquoi.

J'entends Maman l'appeler. C'est l'heure. Papa pose la joue sur ma tête, m'embrasse sur le crâne et s'en va.

À travers un brouillard grisâtre, je le regarde qui s'éloigne, silhouette à carreaux jaunes et kaki. Il referme la porte derrière lui sans un dernier regard.

Cliquetis de serrure. Lumière du soleil qui disparaît. Bruit de moteur qui démarre.

C'était un accident.

Bien sûr, que c'était un accident, tout est clair, maintenant. Je revois les poings qui fusent, les plateaux qui glissent, Mlle Parsippany qui tombe, la tête dans les mains... C'était un terrible, un tragique, un dramatique accident. Je vais leur expliquer. Ils comprendront. Je vais m'excuser et ils me pardonneront.

— Pardon, je murmure.

Mes pieds commencent à bouger.

— Pardon, je répète, un peu plus fort.

J'avance, d'abord à pas comptés, puis à petites foulées, puis je pique un sprint vers la porte, que j'ouvre à la volée.

— Pardooon !

La voiture s'écarte du trottoir, les feux arrière s'allument. Je retiens mon souffle : Papa et Maman vont faire demi-tour ! Je franchis le seuil… et aussitôt, une main me saisit par le col de mon manteau et me tire en arrière.

— Je m'abstiendrais, si j'étais vous, me chuchote Mme Kilter à l'oreille.

Conseil très pertinent.

Parce qu'elle braque le canon de son revolver sur ma nuque.

Chapitre 3

— Je vous en prie, ne tirez pas ! Je ferai tout ce que vous voudrez ! Promis !

— Arrêtez de promettre, m'ordonne Mme Kilter en m'enfonçant le canon de l'arme dans le cou. Agitez la main.

— Quoi ?

— Faites un signe de la main à vos parents. Ils ne partiront que lorsqu'ils seront certains que tout est sous contrôle. Obéissez !

Je déteste mentir. Pour moi, il n'y a rien de pire. Mais je n'ai pas le choix. Je lève le bras en interdisant à mon menton de trembler. Cinq secondes plus tard, les phares disparaissent dans le lointain. Je n'ai même pas eu le temps de déplier mes doigts.

Mme Kilter abaisse son revolver et me lâche le bras.

— Une bonne chose de faite, conclut-elle sur un ton réjoui. Tu as soif ?

Je me retourne. Lentement. Est-ce que c'est une ruse ?

Un prétexte pour me tirer dessus ? Apparemment pas : la directrice de l'école me sourit et met le canon de son pistolet dans sa bouche.

Terrifié, je bondis pour l'empêcher d'appuyer sur la détente.

— Non !

Trop tard. Un jet d'eau jaillit du canon. Mme Kilter avale une gorgée avant de me demander :

— Tu veux boire un peu ?

Je recule d'un pas. Mon regard va du pistolet à Mme Kilter. De Mme Kilter au pistolet. Le cœur tambourinant, je murmure :

— Non, merci.

— Ton père m'avait dit que tu étais un garçon poli, note-t-elle.

Et elle se dirige vers le fond de la pièce, sans prendre la peine de refermer la porte d'entrée. Debout sur le seuil, je jette un coup d'œil à l'extérieur. Je pourrais très bien m'enfuir, là, tout de suite. Et ce n'est pas avec son pistolet à eau que Mme Kilter m'arrêterait.

Sauf que ça sent le piège à plein nez. La cour de l'école doit être blindée de mines. Une centaine de gardiens sont sûrement cachés dans le périmètre. Au moindre faux pas, *pan*, ils me dégommeront sans hésiter. Cet endroit est pire qu'une prison. Obligé. Sinon, comment Maman aurait-elle pu convaincre le juge de ne pas m'envoyer dans un centre de détention pour mineurs ?

— On y va ? me lance Mme Kilter.

Je referme la porte et me retourne. Mes yeux mettent quelques secondes à s'habituer à l'obscurité. À la faible lueur de la lampe de bureau, je distingue la silhouette de Mme Kilter. Elle m'attend près de la porte du fond.

D'abord, je crois que mon imagination me joue des tours : d'où sort cette femme aux cheveux bruns dénoués qui porte un legging blanc, une tunique grise et des chaussures plates argentées ? Sûrement pas la directrice en uniforme vert sapin et au chignon strict de tout à l'heure !

Pour vérifier, je chuchote :

— À vos ordres, madame Kilter.

— Si tu m'appelais par mon prénom ? propose-t-elle avec un sourire.

Aïe. Nouvelle combine pour me tester. Les adultes veulent qu'on les respecte, et donc qu'on les appelle par leur nom. Tous. Y compris Mme Kilter. Il y a forcément un truc qui cloche.

— Détends-toi, Seamus, insiste cette dernière en s'avançant vers moi, la main tendue. Et je t'en prie, appelle-moi Annika.

Sans remuer la tête, je promène mon regard dans la pièce. D'une minute à l'autre, un gardien maous costaud armé d'un lance-roquettes va surgir de l'ombre et crier : « Ha ha ! On t'a bien eu ! »

Mais comme rien ne se passe, je serre la main de Mme Kil... euh... d'*Annika*. Sa peau est douce et tiède.

— Je vais te montrer ta chambre, me dit-elle en me faisant signe de passer devant.

Je franchis le seuil de la porte du fond et pile.

Il y a erreur. On a dû me confondre avec quelqu'un d'autre.

— Vous êtes sûre que je suis dans la bonne école ?

— Absolument.

Alors là, je ne comprends pas. Je croyais que l'académie Kilter était un endroit sinistre, sombre, exigu, sans portes ni meubles. Un endroit comme le vestibule qu'on vient de quitter.

Je ne m'attendais pas à voir un jardin magnifique, paré de fleurs, de fontaines et de statues. Ni un chemin dallé, qui serpente dans une herbe verte. Ni, tout au bout de l'allée, un autre bâtiment, à moitié recouvert de plantes grimpantes en fleur.

Je risque :

— Ce jardin, c'est pour me rappeler que je vais rester enfermé ?

— Poli, et pince-sans-rire, me taquine Annika en s'engageant dans l'allée. Tu me plais.

Je me dépêche de la suivre vers le bâtiment du fond, qui me paraissait beaucoup plus proche, depuis le vestibule. La curiosité a remplacé la peur. Je remarque plusieurs détails qui m'avaient échappé : d'abord, il fait plus chaud que sur le parking. Ensuite, des oiseaux volettent au-dessus de nos têtes. Maman a dû zapper le jardin, sur la vidéo de l'académie Kilter. Autrement, elle ne m'aurait jamais inscrit ici.

Annika entre dans le hall d'un bâtiment flambant neuf aux baies vitrées immenses.

— À droite, le Jardin de l'Adrénaline, annonce-t-elle en désignant le petit parc qui s'étend de l'autre côté d'une baie vitrée.

Le « jardin » ? Un véritable parc de luxe s'étend sous mes yeux, avec piscine enterrée, terrains de basket, de volley, de base-ball, piste d'athlétisme et aire de jeux en bois géante. Le jardin est désert.

— Et voici la salle multimédia.

Je passe la tête dans une grande véranda aux nombreuses étagères croulant sous les DVD. Un écran plat taille XXL occupe tout un pan de mur vitré. Affalés dans des fauteuils et des canapés, des ados – mes compagnons de cellule, sans doute – sont en train de regarder *Le Seigneur des anneaux*.

Annika me rappelle à l'ordre :

— On n'a pas fini la visite. Tu rencontreras tout le monde au dîner.

Je sens mon estomac se serrer. Je n'ai pas vraiment envie de passer du temps avec des criminels, je préfère encore me trouver seul.

— À propos de dîner, renchérit Annika, que dirais-tu de manger du poisson pané ?

J'ai dû mal entendre.

— Pardon ?

Elle s'arrête devant une porte vert pâle.

— Des poissons panés. Fondants à l'intérieur, croustillants à l'extérieur, au goût de marée qui vous parfume l'haleine pendant des heures. C'est bien ton plat préféré, non ?

Mon cœur manque de s'arrêter. Ça y est, j'ai compris : le départ précipité de Papa et Maman, le jardin paradisiaque, le parc multi-activités, *Le Seigneur des anneaux*...

... et les poissons panés.

On va me servir le dernier repas du condamné.

— Super, se réjouit Annika en toquant à la porte vert pâle. Lemon est réveillé.

Mon cœur tambourine dans ma poitrine. Le sol vibre sous mes pieds. Quand la porte s'ouvre, je m'aperçois que le boucan provient de deux petites baffles rondes posées sur un bureau.

— Bienvenue chez toi, Seamus ! s'exclame Annika.

Enfin… c'est ce que je lis sur ses lèvres. La musique (batterie électronique et synthé hyper strident) couvre le son de sa voix.

Je prends le temps d'examiner la pièce. Des murs vert pâle. Un plancher en bois recouvert d'un tapis rond couleur ivoire. De grandes fenêtres donnant sur une prairie vallonnée. Deux lits, deux commodes, deux bureaux. Le tout disposé sur une trentaine de mètres carrés – minimum.

Un garçon est assis à l'un des bureaux. Il nous tourne le dos.

Annika tend l'index vers lui et articule en silence :

— Lemon.

Avec les enceintes posées à dix centimètres de son coude gauche, Lemon ne nous a pas entendus. Il semble très concentré. Annika entre dans la chambre, regarde ce qu'il est en train d'écrire (ou de lire, ou de je-ne-sais-pas-quoi), l'encourage d'un sourire, me désigne du pouce et prononce mon prénom.

Apparemment, mon arrivée ne paraît pas perturber Lemon : il relève la tête et la rebaisse aussitôt.

Annika me rejoint, toujours en souriant. Elle porte une fourchette invisible à sa bouche et me montre six doigts.

On mange à 6 heures. Pigé.

Annika me laisse planté là, devant la porte de ma nouvelle chambre. Quelqu'un a posé mon sac et mon cartable sur l'un des lits. J'hésite. Qu'est-ce que je dois faire maintenant ? Ranger mes affaires avant mon exécution ? Aller regarder Frodon affronter Gollum une toute dernière fois ? Les condamnés à mort ont droit à un dernier souhait, non ? Le mien serait de téléphoner à mes parents pour leur demander pardon, mais je suis sûr qu'ils ne veulent plus me parler...

Soudain, les contours de la pièce vacillent. Ça y est : je vais m'évanouir. La peur, sans doute. Il faut que je m'allonge. Je me dirige vers le lit... et je sens une odeur bizarre.

De la fumée. Elle s'élève au-dessus du bureau de Lemon dans un dégradé de gris.

Mon camarade de chambre me tourne toujours le dos, la tête baissée. Ses épaules se soulèvent et s'abaissent. Il s'est endormi, ou quoi ? Et s'il avait allumé une bougie pour se « mettre dans l'ambiance » (comme Papa quand il fait ses mots croisés du dimanche), et qu'il l'avait renversée sur ses livres ?

Je me précipite vers Lemon, qui, en fait, ne dort pas du tout : il est en train d'attiser un petit feu en soufflant sur les flammes. Un feu allumé *sur le bureau.*

Je hurle :

— T'es dingue ?

Je cours vers la fontaine à eau placée à l'angle de la pièce, remplis deux gobelets et jette leur contenu sur le feu. Les flammes s'éteignent, *scriiitch.* Les baffles continuent de cracher leur musique – boum ! boum !

Lemon se redresse, contemple le tas de cendres mouillées, et lève lentement les yeux vers moi.

Il a des cheveux bruns en bataille et des taches de rousseur sur le bout du nez. Est-ce qu'il est en colère ? Difficile à dire, avec ses paupières tombantes et sa bouche en forme de smiley pas content, qui lui donnent un air triste. Il doit avoir le même âge que moi. C'est déjà ça.

— Pardon, je lâche par réflexe.

Sans un mot, Lemon prend un briquet argenté dans une boîte à chaussures remplie d'allumettes, de brindilles et d'essence, l'allume d'un mouvement du pouce, et le passe au-dessus d'une feuille de papier posée sur le bureau. Le papier s'enflamme d'un coup, en projetant une pluie d'étincelles orange.

Je m'élance vers la porte. Il faut prévenir Annika. Je ne suis pas un cafteur, mais ce n'est pas parce que je vais mourir ce soir que tout le monde doit subir le même sort.

Annika est dans le couloir, un cendrier en verre à la main. Elle s'apprêtait à frapper à la porte.

— Tu peux donner ceci à Lemon, s'il te plaît ? crie-t-elle en me tendant le cendrier.

— Mais…

— Merci ! On se verra au dîner !

Elle me fourre le cendrier entre les mains, tourne les talons et disparaît en direction du hall.

Je la regarde s'éloigner, sidéré.

J'espère que les pensionnaires de l'académie Kilter aiment la viande grillée.

Parce que ce soir, c'est barbecue !

Chapitre 4

À 17 h 45, je ferme ma BD. Ça fait trois heures que je relis la même page. Je me lève, enfile mes chaussures et me donne un coup de peigne – avec la raie sur le côté, comme Maman aime. Je n'ai pas envie de descendre dîner tout seul, alors autant y aller avec Lemon.

Il y a quelques minutes, après avoir éteint le feu, Lemon s'est endormi sur sa chaise, la tête posée sur la boîte à chaussures fermée. Maintenant, ses bras pendent le long de son corps. Je vois sa cage thoracique enfler toutes les cinq secondes, ce qui signifie que la fumée ne l'a pas asphyxié.

J'hésite à le réveiller. J'ai peur qu'il me balance une bombe à la figure ou qu'il mette le feu à mes cheveux.

Par précaution, je remplis deux gobelets d'eau fraîche.

C'est là que je repère le téléphone sans fil. Sur la table basse. À côté de la fontaine à eau.

Mon cœur s'emballe. Je pose les gobelets, m'empare

du téléphone et cours m'enfermer dans le placard. Tout va bien. Lemon n'a pas bronché. Je me faufile entre les tee-shirts et les pulls qui empestent l'essence et la fumée, et je referme la porte du placard. Ce téléphone est bizarre : noir, avec une seule touche, sur laquelle il est écrit : « Appel ».

J'appuie dessus.

Dès qu'on décroche, je souffle :

— C'était un accident. Un malentendu. J'ai pas fait exprès de...

Une voix de femme m'interrompt :

— Standard des Fayots, bonjour ! Que puis-je faire pour vous ?

— Des Fa... Fa-quoi ?

— Des Fayots. Souhaitez-vous nous signaler un vol ?

— Non.

— Le jet d'une boule puante ?

— Non plus.

— Un mensonge, peut-être ?

Silence. J'ai peut-être tué Mlle Parsippany, mais ce n'était pas mon intention. Est-ce que c'est ce qu'elle a voulu dire ?

BOUM !

Un fracas épouvantable. Là, dans la chambre. Le plancher vient de trembler.

— Je rappellerai !

Et je raccroche.

— 'Tention ! Ça va sauter ! s'exclame Lemon.

J'ouvre le placard. Mon camarade de chambre se tient debout au milieu de la pièce. Les yeux écarquillés, il souffle comme s'il venait de piquer un cent mètres. Sa chaise est renversée sur le côté.

Tout à coup, il se précipite vers la fontaine à eau et enlace la bonbonne en hurlant :

— N'avancez pas ! Bougez pas, et personne sera blessé !

Un réservoir d'eau, c'est gros. Et lourd. Lemon le soulève et titube. Tombera ? Tombera pas ? J'attrape un gobelet et lui jette l'eau qu'il contient à la figure.

Lemon se fige. Cligne des yeux. Repose la bonbonne à sa place. Et marmonne :

— Oh, la vache !

Je contemple le gobelet vide, puis l'eau qui goutte du menton de Lemon, avant de me justifier :

— J'ai cru que tu faisais un cauchemar. J'ai dû employer les grands moyens.

— J'ai dit quelque chose ?

— Un truc du style : « Que personne ne bouge ! »

Son menton retombe sur sa poitrine. Je me raidis. Cette fois, ça va barder. Mais Lemon secoue la tête sans un mot. Des gouttelettes d'eau volent partout dans la chambre. Ensuite, il enfile des mocassins en cuir usés et sort de la pièce. Je vois la porte se fermer. Puis se rouvrir. Une main couverte de cloques et de brûlures la maintient entrebâillée.

Après avoir remis le téléphone à sa place et vérifié que je n'étais pas trop débraillé, je jette un œil dans le couloir. Lemon me dépasse de deux têtes. Quand je franchis le seuil de la porte, c'est à peine si mes cheveux effleurent son dessous de bras.

Je tends la main en disant :

— Au fait, moi, c'est Seamus.

D'habitude, quand je me présente, je ne serre pas la main aux gens. Mais je me dis que Lemon sera le dernier copain que je me ferai. Alors j'ai envie de marquer le coup.

— Sympa, le costard, commente-t-il.

Ma main retombe. Mon regard glisse sur le costume bleu marine que Maman m'avait acheté au cas où j'entrerais à la National Junior Honor Society, l'un des collèges les plus prestigieux des États-Unis. Je m'étais changé en pensant que ce soir serait un grand soir, mais maintenant, je trouve ma tenue carrément ridicule. Surtout qu'une douzaine d'élèves en jean, tee-shirt et sweat à capuche déboulent dans le couloir.

Je suis habillé comme pour un enterrement. Le mien...

Lemon s'éloigne en traînant les pieds. Je le suis en tripotant mes boutons de manchettes dorés en forme de robot, un cadeau de Papa. Il me manque.

Je sors du bâtiment et traverse le jardin pour entrer dans le Fastfood, la cantine de l'académie Kilter. J'ai l'impression de pénétrer dans une immense cathédrale. Par une baie vitrée panoramique, on aperçoit les collines verdoyantes et, au loin, des montagnes aux pics enneigés.

Une voix familière s'élève :

— Bienvenue à tous !

Annika nous accueille, le sourire aux lèvres, en zigzaguant à travers la foule. L'estomac à l'envers, j'observe les élèves tourner à droite, vers un mur troué de passe-plats transparents. Je décide de suivre Annika, qui va s'asseoir à la plus grande table, au milieu de la pièce – celle des profs.

— Bonsoir, Annika.

— Seamus ! Ça va ? Tu as tout ce qu'il te faut ?

C'est gentil de sa part de poser la question.

— Oui, mais...

— Pincez-moi, je rêve ! m'interrompt l'homme assis à la gauche d'Annika. Il s'agit bien de qui vous savez ?

— Seamus Hinkle ? chuchote la jeune femme installée à la droite d'Annika.

— *Le* Seamus Hinkle ? renchérit l'homme.

Je me retiens de grimacer. Des Seamus Hinkle, il n'y en a pas cinquante, que je sache.

À ces mots, tous les adultes arrêtent de manger et de boire. Certains échangent des regards entendus. D'autres sourient. Il y en a même qui scrutent le criminel que je suis avec attention, comme s'ils espéraient trouver en moi une infime trace d'humanité.

Je baisse les yeux. J'ai les joues tellement brûlantes qu'on pourrait faire cuire un steak dessus. Ma réputation m'a précédé. Pas étonnant. On n'a pas fini de parler de moi, à l'académie Kilter. J'ai été idiot de croire qu'Annika garderait le secret jusqu'à mon exécution.

— Écoutez-moi, tout le monde ! s'exclame la directrice. J'ai l'honneur de vous présenter Seamus Hinkle, un élève très prometteur !

Je relève la tête. Qu'est-ce que c'est que ce cirque ?

— Seamus, poursuit Annika, voici tes professeurs : Harold, Fern, Wyatt, Samara, Devin, Lizzie, et M. Tempest.

Le M. Tempest en question ne semble pas du tout impressionné. Il jette un œil sur moi avant de mordre dans son cheeseburger.

Je suis déboussolé, mais – pour faire plaisir à Maman –, je reste poli jusqu'au bout :

— Ravi de faire votre connaissance.

— Nous sommes enchantés, réplique Wyatt. Parole de prof !

— Ne fais pas attention à eux, me confie Annika. Ton arrivée les a un peu… bouleversés.

— *Bouleversés* ? répète Fern. Le mot est faible !

Annika m'explique :

— La règle est stricte : tout dossier d'inscription qui n'est pas présenté six mois avant le début de l'année scolaire est refusé. La rentrée a eu lieu il y a un mois, mais pour toi, Seamus, nous avons fait une exception.

— Parce que tu es un très bon lanceur, ajoute Devin.

— Un lanceur haut comme trois… *pommes*, complète Lizzie.

Les professeurs échangent des sourires radieux. Je suis rouge écrevisse. Je serre les poings et pince les lèvres pour retenir la boule qui monte dans ma gorge. Je fixe Annika dans les yeux. Ses iris scintillent, à la lueur des bougies.

Un mot m'échappe et je suis étonné de ne pas vomir en même temps.

— Pourquoi ?

— Parce que nous avons enfin une bonne raison d'enfreindre cette règle, répond Annika.

Elle se penche vers moi et me chuchote à l'oreille :

— Et cette raison, c'est toi, Seamus Hinkle. Le premier Tueur de l'académie Kilter.

La pièce chavire. Tout devient blanc. Silence de plomb. Ça y est. Je suis mort. Annika m'a injecté un poison à action ultra-rapide. Ou alors, j'ai fait une crise cardiaque. Et puis, petit à petit, les conversations reprennent, les couleurs réapparaissent.

Je suis encore en vie. J'ai juste failli tourner de l'œil. C'est à cause de ce mot (celui qui commence par un T), que je rejette en bloc.

Je murmure :

— Petit déjeuner ?

Annika tend l'oreille. J'avale ma salive avant de préciser :

— Je pourrai prendre mon petit déjeuner, demain matin ?

Tous les professeurs éclatent de rire. Sauf M. Tempest.

— Petits déjeuners, déjeuners, dîners, casse-croûte, en-cas... tout ce que tu voudras ! Demain, après-demain, et le jour d'après !

Je devrais être soulagé. Ma mort n'est plus au programme. Mais je suis encore sous le choc. Tout le monde sait que je suis un... un t... bref, un sale type, et tout le monde s'en fiche.

Annika me serre le bras et sourit.

— La journée a été longue. Va manger et te reposer. Demain matin, tu y verras plus clair.

Je tourne les talons, mais Annika me rappelle :

— Seamus ?

— Oui ?

Les professeurs ont cessé de me dévisager. À présent, ça se passe entre Annika et moi. Elle me fait signe d'approcher. J'obéis. Elle me montre un objet qui ressemble à un téléphone portable, en plus grand. Un texte s'affiche à l'écran. Elle fait défiler les mots, trop vite pour que je puisse les lire.

— Tu écris un journal intime ?

— Sûrement pas !

C'est un truc de filles.

— Tu devrais, conteste Annika. Quand on se sent triste, perdu, inquiet, et qu'on n'a personne à qui parler, ça fait du bien d'écrire ce qu'on éprouve, et pourquoi. Moi, j'écris, et ça m'aide beaucoup.

Là, j'aurais deux questions. Un : comment une directrice d'école capable de se transformer en sergent impitoyable vert sapin peut-elle se sentir triste, perdue ou inquiète ? Deux : pourquoi Annika me raconte-t-elle sa vie ?

Mais elle saisit sa fourchette et déclare en me souriant :

— Bon appétit !

Autrement dit : fin de la discussion. Je me dirige vers les autres élèves. Quand j'arrive au niveau du passe-plat, les voix des professeurs ne sont plus que des murmures.

L'homme qui se tient derrière le comptoir porte une casquette de base-ball et un tee-shirt rouge vif sur lequel est inscrit « Fastfood de Kilter ». En lisant le badge épinglé à sa poitrine, j'apprends que l'homme s'appelle Hugh.

— Salut ! s'écrie-t-il. Cool, tes fringues !

— Merci.

— C'est quoi, ton nom ?

Je laisse passer trois secondes avant d'annoncer :

— Seamus Hinkle.

Visiblement, ma renommée n'a pas dépassé le passe-plat de la cantine. Impassible, Hugh tape mon nom sur le clavier de son ordinateur et demande :

— Poissons panés super croustillants avec moutarde et mayo ?

J'ouvre la bouche pour confirmer. À cet instant, le comptoir s'enfonce, avant de se retourner et réapparaître avec un plateau recouvert d'une cloche en argent aussi étincelante qu'un miroir. Sur la surface polie, je vois le reflet des gouttes de sueur qui me coulent dans le cou.

— Bon app' ! s'exclame Hugh.

Je le remercie, m'empare du plateau et cherche une place. Je repère Lemon, en train d'engloutir un bol de céréales. Il a les yeux scotchés à un épisode de *South Park* diffusé sur l'écran LCD fixé à son plateau. Pas de chance : toutes les chaises autour de sa table sont prises. Près des télés aussi. Je n'ai plus qu'à aller m'installer au fond, à droite, dans le coin bibliothèque. Remarque : ce n'est pas plus mal. J'ai besoin de me retrouver un peu seul, pour digérer ce qui vient de se passer.

Je m'assieds et soulève la cloche...

— Waouh !

Alors ça, c'est du poisson pané. Les bâtonnets sont cinq fois plus gros que ceux de Mme Lorraine. Leur croûte dorée semble croustillante à souhait. Je la tapote légèrement du bout de la fourchette ; elle se craquelle sans se casser.

Mais Mme Lorraine est la reine du poisson pané, alors je ne m'emballe pas. Je coupe un morceau, le trempe dans la mayo puis dans la moutarde, et l'enfourne.

— Re-waouh !

Mais avec la bouche pleine, cela ressemble plus à « Re-waon ». Ce poisson n'est pas délicieux, il est à tomber par terre. J'en oublie même la raison de ma venue. Je dévore les bâtonnets un par un, et puis je remarque un petit bouton argenté, dans le coin arrière droit du plateau. Et sous ce bouton, le mot « Rab », gravé en lettres cursives.

Je lève les yeux. J'ai la sensation qu'on m'observe, dans l'attente que je fasse une bêtise. Je suis tenté d'appuyer sur ce bouton, mais est-ce que quelqu'un comme moi mérite du rab ?

Mon intuition était bonne : une fille vient d'apparaître

à côté de moi. Elle me dévisage, assise deux chaises plus loin. Elle a la peau pâle et les cheveux roux. Sa tresse mal faite pendouille sur son épaule droite. Elle porte un machin moitié short, moitié pantalon, un pull vert trop large pour elle et des Converse.

— Qu'est-ce que tu voulais lui demander ? interroge-t-elle.

— Hein ?

Je ne l'écoutais pas, perdu dans son regard aux doux tons cuivrés.

— À Annika. Elle t'a empêché de lui poser une question. Laquelle ?

J'en reste bouche bée.

— T'inquiète : j'ai pas entendu ce qu'elle t'a dit, m'assure la fille.

Tant mieux. Parce que si elle a entendu et qu'elle prévoit de mettre toute l'école au courant, je suis mal. D'un autre côté, si cette fille connaissait mon secret, elle ne se serait pas assise à côté de moi.

Elle attend ma réponse. Je fixe mon plateau. Du bout du doigt, je suis les lettres gravées dessus avant d'improviser :

— Je voulais savoir si on devait laver notre linge nous-mêmes, ou…

Pas la peine que je me fatigue : la fille est partie.

Rouge de honte, je tends la main pour attraper mon verre d'eau et, là, je m'aperçois que mes boutons de manchettes ont disparu.

Chapitre 5

Je passe le reste de la soirée dans ma chambre, à lire des BD. Comme ça, plus de questions indiscrètes.

Je ne me rappelle pas m'être endormi. Le soleil me réveille en filtrant à travers les volets. Un filet de bave me coule sur le menton. Debout près de son bureau, Lemon tient une poêle à frire au-dessus d'une poubelle en feu.

Je me redresse d'un bond et me recroqueville sur mon lit, sans lâcher les flammes des yeux.

— Zen, fait Lemon. Cette fois, je maîtrise.

« Cette fois » ? Qu'est-ce que ça veut dire ? Qu'il a déjà incendié une dizaine de poubelles ?

— Les cours commencent dans dix minutes, annonce-t-il.

— Quelle matière ?

— L'emploi du temps est dans ton K-pad. Ton K-pad est sur ton bureau.

Ça m'ennuie de quitter les flammes des yeux, mais

puisque Lemon semble décidé à ne pas laisser cramer notre chambre, je me lève et prend mon K-pad. Il ressemble à l'espèce d'iPhone qu'Annika m'a montré hier soir. Il s'allume automatiquement. Une inscription en lettres bleues s'affiche à l'écran :

SEAMUS HINKLE, PREMIÈRE ANNÉE, PREMIER TRIMESTRE.

— Le K-pad identifie son propriétaire en scannant n'importe quelle partie du corps, explique Lemon.

— Comme un lecteur d'empreintes digitales ?

Il sort son K-pad de la poche de son jean, le pose par terre et l'effleure du gros orteil. Aussitôt, une empreinte lumineuse apparaît sur l'écran tactile, suivie de six mots :

LEMON OLIVER, PREMIÈRE ANNÉE, PREMIER TRIMESTRE.

— Tu t'appelles vraiment Lemon[1] ?

Il range son K-pad sans me répondre et se remet à cuisiner. Au menu : œufs brouillés et pain de mie grillé.

Sur le mini-ordinateur, une petite enveloppe indiquant « k-mails » tourne sur elle-même. Je clique dessus. J'ai au moins dix messages. J'ouvre celui intitulé : « Emploi du temps de S. Hinkle ».

Moi qui m'attendais à des cours originaux, je suis déçu. Maths. Arts plastiques. Sciences de la Vie et de la Terre.

Et puis, d'un coup, c'est l'illumination : ces cours, ce doit être pour que je ne prenne pas de retard, parce qu'on a prévu de me renvoyer au collège de Cloudview !

Le cœur léger, j'enfile un jean et un tee-shirt propres et je suspends mon costume dans le placard. Il ne faut

1. *Lemon* signifie « citron » en anglais.

pas le froisser. Si un jour, je sors d'ici, je serai bien content de le remettre.

En lissant ma chemise blanche sur son cintre, je repense aux boutons de manchettes. Hier soir, j'ai demandé aux agents d'entretien du Fastfood s'ils ne les avaient pas trouvés. Ils m'ont répondu que non. Bizarre.

Lemon a fini de faire cuire ses œufs. Il emporte la poubelle dans la salle de bains et ouvre le robinet. L'occasion est trop belle : je me précipite sur le téléphone et enfonce la touche « Appel ».

— Standard des Fayots, bonjour ! retentit la voix de femme.

— Euh... Bonjour... Je voudrais signaler un...

Un quoi, d'abord ?

— J'avais des... euh... des boutons de manchettes. Ils ont disparu, hier soir.

— Disparu, répète la voix.

— Oui.

— Disparu, comme : un coup ils y sont, et un coup, pouf ! ils n'y sont plus ?

— Exactement.

— Vous supposez donc qu'on vous les a volés.

— Quoi ? Non, je...

— Souhaitez-vous signaler un vol ? m'interrompt la femme.

Lemon ne fait plus de bruit, dans la salle de bains. Il doit être en train de m'espionner. J'approche le combiné de ma bouche et mets ma main tout contre.

— Je sais pas ce qui s'est passé, je...

La femme ne me laisse pas le temps de finir.

— Seamus Hinkle, cafardage avec préméditation !

Clic ! elle raccroche.

Au même instant, Lemon sort de la salle de bains, la poubelle fumante et mouillée à la main. Il jette son assiette en carton dedans, attrape son cartable, enfile ses mocassins, ouvre la porte et me lance :

— À plus !

— Attends-moi !

Je repose le téléphone, chausse mes baskets, prends mon K-pad, un bloc-notes et un stylo, et ferme la porte de la chambre à clé. Lemon est déjà au bout du couloir.

— Attends-moi, Lemon !

Il ralentit pour me permettre de le rattraper. On traverse le jardin en silence. J'en profite pour prendre un grand bol d'air pur, écouter le chant des oiseaux et admirer les couleurs de l'automne. Je n'avais jamais remarqué à quel point les feuilles rousses sont belles.

Lemon pénètre dans un bâtiment de trois étages qui ressemble à un chalet futuriste, avec une façade en bois et des vitres immaculées.

— T'as pu parler à tes parents depuis que t'es arrivé ici, Lemon ?

— Non.

Il entre dans une salle de classe et va s'asseoir sur le canapé au fond de la pièce. Je choisis de m'installer à une table, au deuxième rang. Au début, je voulais m'asseoir au premier rang, pour faire bonne impression, mais aucun élève n'a eu cette idée. Et je n'ai pas envie de me faire remarquer.

La salle se remplit progressivement d'élèves d'à peu près mon âge munis de blocs-notes et de stylos. Je me demande d'où ils viennent et ce qu'ils ont bien pu faire pour se retrouver ici.

Les cours sont censés commencer à 9 heures pétantes.

J'observe la trotteuse de l'horloge accrochée au-dessus de la porte.

8 h 59. Mon pouls s'accélère. 8 h 59 min 30 s. Mon visage devient brûlant. 8 h 59 min 55 s. J'essuie la sueur qui perle à mon front avec la manche de mon tee-shirt.

La trotteuse se rapproche dangereusement du chiffre 12. Je me raidis : la cloche va sonner. Un prof du genre de M. Carlton, mon prof principal à Cloudview, va bientôt arriver. Les profs d'un collège normal ne sont déjà pas marrants, alors imaginez ceux d'un collège pour adolescents en difficulté. Ils crient sûrement. Ne décrochent pas un sourire, nous donnent une montagne de devoirs, nous...

La porte s'ouvre. Je retiens mon souffle. J'attends la sonnerie... qui ne vient pas. Et je vois entrer un jeune d'un mètre quatre-vingts qui semble être tombé du lit.

— Salut les djeunes !

Il s'affale sur la chaise derrière le bureau du professeur et bâille à s'en décrocher la mâchoire. Je le reconnais : il s'appelle Harold ; Annika me l'a présenté hier soir. C'est un prof. Un jean délavé, un tee-shirt orné de deux poings blancs croisés et menottés sur fond orange, des Ray-Ban sur le nez et des cheveux mi-longs châtain clair tout emmêlés.

Il pose son sac sur le bureau et en sort une licorne en peluche.

Une voix s'élève dans la classe :

— Alors là, je suis scotchée ! Je l'avais pourtant bien cachée !

— Peut mieux faire, réplique Harold en lançant la licorne, qui atterrit devant une blonde aux cheveux courts. (Il se frappe la poitrine pour souligner :) Dix avertissements pour Houdini, zéro pour Gabster ! Et ça, qu'est-ce que c'est ? poursuit-il en prenant une BD dans son sac. Un numéro de *Betty and Veronica Double Digest* ? Tu mériterais que je le garde !

D'un petit mouvement du poignet, il expédie le magazine sur le bureau d'un garçon brun coiffé comme un porc-épic. L'élève roule la BD et se frappe le front avec.

— Dix avertoches pour le maître illusionniste, que dalle pour Abe ! clame Harold.

Chaque élève récupère un objet : un iPod, un porte-clés, un pull, un frisbee, un Slinky, une corde à sauter… Lemon reçoit un briquet en forme d'allumette géante. Tous sourient et froncent les sourcils, à la fois soulagés de retrouver leurs affaires et vexés de les avoir perdues.

Désorienté, je regarde Harold (*alias* Houdini) sortir de son sac un ruban de satin vert, qu'il brandit devant lui en le tenant entre le pouce et l'index.

— Ah ! Élinor… Élinor…

La rousse aux yeux cuivrés qui était assise derrière moi s'avance vers le prof.

— Je suis déçu, soupire celui-ci en rendant le ruban à la fille. Je m'attendais à plus de provoc.

Élinor retourne à sa place en s'attachant les cheveux au moyen de son ruban. Quand elle arrive à ma hauteur, je lui adresse un petit sourire encourageant, qu'elle ignore en regardant droit devant elle.

Soudain, Houdini frappe dans ses mains. Je sursaute et me retourne. Il a remonté ses lunettes de soleil sur la tête et me dévisage, un large sourire aux lèvres.

— *Hola*, Hinkle ! *Cómo estás* ?

Je jette un coup d'œil derrière moi, histoire de

m'assurer qu'il n'y a pas un deuxième Hinkle dans la classe.

— Votre nouveau copain semble un peu largué, fait remarquer Houdini. Un volontaire pour expliquer ce qui vient de se passer ?

Tous les regards convergent vers moi. J'essaye de disparaître sous ma table.

— Personne pour gagner des étoiles d'or ? s'étonne le professeur. OK. Je vais...

— Houdini a volé nos affaires.

Je pivote à nouveau sur ma chaise. Cette fois, Élinor a les yeux fixés sur moi.

— Chaque semaine, il essaie de nous piquer quelque chose sans qu'on s'en aperçoive, continue-t-elle. S'il y arrive, c'est lui qui gagne des avertissements. Sinon, les avertoches sont pour nous. C'est le but de ce cours.

Je proteste :

— Mais... Houdini n'est pas notre prof de maths ?

— Ben si, rétorque-t-elle. À l'académie Kilter, on n'additionne et on ne soustraie pas des chiffres, mais des objets personnels.

— Attrape ! s'exclame Houdini.

Je relève la tête, juste à temps pour le voir me lancer deux petits objets brillants.

— Règle n° 1 : éviter d'en mettre plein la vue, annonce-t-il. Ici, pas besoin de chemise ringarde. Tu veux porter des chaussettes jaunes avec des chaussures mauves ? *No problemo !*

Mort de honte, je fourre les boutons de manchettes dans la poche de mon jean.

— Règle n° 2 ?

— Gagner le plus d'avertissements, et le moins

d'étoiles d'or possible, récite Élinor. Ici, les avertissements comptent pour des 20/20, et les étoiles d'or pour des 0.

Ah oui ? Et qu'est-ce qu'on gagne quand on a 16, par exemple ? C'est quoi ce collège où les meilleurs élèves sont les pires des cancres ?

— Règle n° 3 ? interroge Houdini.

— Interdiction de sécher, répond Élinor. On a six heures de cours par jour, du lundi au vendredi : trois le matin et trois l'après-midi. Parfois, on reçoit un cours d'histoire par k-mail. Le reste du temps, on fait nos devoirs, on révise, ou on joue.

— Et pour ça, il n'y a que l'embarras du choix ! ajoute Houdini. Films, programmes télé, jeux vidéo... On clique sur l'icône en forme de chapeau du K-pad et on obtient la liste de tous les trucs sympas à faire. À propos : quelle est la règle n° 4 ?

— Battre tous les professeurs, siffle Élinor.

Le cœur à cent à l'heure, je demande :

— Qu'est-ce que ça veut dire ?

Houdini reprend la parole :

— Les professeurs de l'académie Kilter vont t'apprendre à utiliser tes talents. Si tu y parviens avant la fin du trimestre, le premier palier de compétences sera validé. Le but, c'est de faire flipper les profs. Ou de les embêter. Ou de les attaquer par surprise. Bref, de semer la pagaille. Tu peux frapper n'importe où, n'importe quand. Il n'y a qu'une règle : prendre chaque prof à son propre piège.

Lentement, dans mon cerveau, les pièces du puzzle se mettent en place. J'articule, en détachant les syllabes :

— En clair, pour vous battre, il faudra que je vous vole quelque chose ?

— Sans que je m'en aperçoive, bien sûr, précise Houdini, tout sourire. Et là, c'est pas gagné. Je suis presque aussi balèze que M. Tempest.

M. Tempest : le vieux rabat-joie.

— C'est qui, ce M. Tempest ?

— Le prof d'histoire. Il est toujours accroché aux basques d'Annika. Avec lui, tous les coups sont permis. Et comme il est quasi imbattable, les paliers de compétences pourront être validés même si tu ne le bats pas.

— Mais tu peux quand même essayer, intervient un garçon assis à l'autre bout de la classe.

— Battre M. Tempest te rapporterait des avertissements bonus, complète Houdini. Plus le respect de toute l'académie Kilter. Mais ce serait un miracle. (Il se tourne vers Élinor :) Règle n° 5 ?

— Y en a pas, réplique-t-elle.

— Des questions ? enchaîne le prof.

Un garçon installé au fond de la salle grogne :

— On perd du temps, avec le nouveau ! Aujourd'hui, on était censés apprendre à piquer des bonbons dans les magasins. Qu'est-ce qu'on attend ?

Houdini le fusille du regard. Pour faire diversion, je risque :

— Moi, j'ai une question.

Ce qui paraît ravir le prof de maths.

— Génial. Je t'écoute.

En fait, je n'ai rien à lui demander. J'ai simplement voulu l'empêcher de révéler ma véritable identité. Mes camarades n'ont pas besoin de savoir que je suis le premier tueur de l'académie Kilter. Un millier de questions se bousculent dans ma tête. J'en choisis une au hasard :

— Est-ce qu'on a le droit de contacter nos parents ?

Tout le monde éclate de rire. Ben quoi ? Qu'est-ce qu'il y a de si drôle ?

— Bien sûr ! s'enthousiasme Houdini. Qui en a envie ?

Je lève le doigt. Nouveau concert de ricanements. Je me retourne, et là, je m'aperçois que je suis le seul volontaire. Alors je baisse la main.

Houdini essaye de me réconforter :

— Je sais, Hinkle, tu aimerais dire à tes parents : « Pas de panique, c'est pas une maison de redressement, on va pas me botter les fesses ! » Mais crois-moi : dans quelques jours, tu n'auras plus envie de révéler notre petit secret. Et si jamais ça te démange, demande-toi *qui* a eu l'idée de t'envoyer à Kilter. (Il pose les pieds sur son bureau et se balance sur sa chaise.) Et donc, *qui* tes parents vont croire : les profs censés faire de toi un citoyen modèle, ou leur horrible progéniture ?

Il se tait, pour me donner le temps de digérer ses paroles. J'essaie de démêler mes idées :

— Mais… si c'est pas une maison de redressement… alors qu'est-ce que c'est ?

Houdini se rassoit correctement, se penche en avant et plante son regard dans le mien.

— Le plus célèbre centre d'entraînement top secret du monde.

Je m'efforce de détourner les yeux. En vain. Houdini a un regard hypnotique. Il poursuit :

— Ici, on n'accepte pas n'importe qui. On reçoit des

milliers de demandes d'inscription par trimestre, mais on ne retient que trente élèves, qui doivent remplir plusieurs conditions. En gros, plus on fait de bêtises, plus on a de chances d'être pris à l'académie Kilter.

— Des bêtises… comme celles qui nous ont amenés ici ?

— T'as pigé.

— Alors on n'est pas là pour apprendre à bien se tenir ?

— Non.

Je suis complètement paumé.

— Alors… pourquoi on est là ?

Le sourire de Houdini s'élargit. Ça lui donne un air espiègle qui le fait rajeunir de cinq ans. Il répond :

— Vous êtes là pour devenir des Pagailleurs professionnels.

Chapitre 6

À la fin de l'heure, Houdini réclame un volontaire pour m'accompagner à l'Arsenal. Puisque personne ne se dévoue, je lève le doigt en affirmant pouvoir y aller tout seul. Moins on me posera de questions, mieux ce sera. Sauf que Houdini décide que Lemon sera volontaire. Et qu'à partir de maintenant lui et moi serons les meilleurs copains du monde, sinon ça va chauffer pour lui. Il lui jette un morceau de craie à la figure. Lemon, qui ronflait doucement sur le canapé, se réveille en sursaut.

D'après moi les meilleurs copains du monde discutent entre eux, mais Lemon n'est pas du même avis. Il marche à mes côtés sans décrocher un mot. Je finis par poser la question qui me trotte dans la tête depuis un moment :

— C'est quoi, un Pagailleur professionnel ?

Lemon ne répond pas. Il ne cligne même pas des paupières.

Je sais ce qu'est un pagailleur. Bartholomew John,

par exemple. Mais un pagailleur « professionnel », c'est un peu bizarre. Alors j'insiste :

— Ça veut dire qu'on sera payés pour faire des bêtises ?

— C'est marrant de faire des bêtises, ronchonne Lemon. Pourquoi tu te prends la tête ?

C'est vrai, ça : pourquoi je me prends la tête ?

— T'es mon treizième, m'annonce-t-il quelques mètres plus loin.

— Ton treizième quoi ?

— Mon treizième camarade de chambre.

Après un rapide calcul mental, je conclus :

— T'es là depuis un mois. Donc, t'as eu trois camarades de chambre par semaine ?

— Non, douze en une semaine. Neuf Pagailleurs de première année, un de deuxième année, un de troisième année et un de quatrième année. J'aime jouer avec le feu. Ils ont pas supporté. Avant que t'arrives, j'ai eu la chambre pour moi tout seul pendant trois semaines.

Mon cœur se serre.

— Pardon de te déranger.

— Tu partiras, toi aussi, pronostique Lemon en haussant les épaules. À moins que ce qu'on raconte sur toi ne soit vrai.

Je m'efforce d'adopter un ton désinvolte :

— Et... qu'est-ce qu'on raconte sur moi ?

Il s'arrête devant une porte vitrée, se tourne vers moi et hausse un sourcil broussailleux.

— Je sais pas ce que t'as fait, mais les profs t'auraient pas mis avec quelqu'un qui flanque le feu aux poubelles s'ils t'avaient pas cru capable de gérer.

Et il entre dans le bâtiment. Ses paroles m'ont coupé

les jambes. Je mets vingt secondes avant de franchir le seuil.

On n'entre pas dans l'Arsenal comme dans un moulin. D'abord, il y a un tourniquet argenté, collé à une petite boîte transparente sur un socle transparent. À droite, un grand comptoir. Un employé de l'académie Kilter se tient derrière ; d'après le badge épinglé sur sa chemise rouge, il s'appelle Martin.

— Bienvenue à l'Arsenal ! s'exclame-t-il avec un sourire. Scanne ton empreinte, s'il te plaît.

Du menton, il désigne la petite boîte transparente.

Comme je ne bouge pas, Martin insiste :

— Si tu ne t'identifies pas, tu n'entres pas.

Je sens un poids me comprimer la poitrine. J'ai deux solutions : faire demi-tour et partir en courant (au risque de vexer Lemon), ou obéir à Martin et déclencher une alarme. Ou pire. Vu qu'Annika semble adorer les tueurs, je m'attends à tout. Et je me vois mal faire une entrée en fanfare sous une pluie de confettis.

— Alors ? grince une voix. Ça t'a pas suffi de te faire remarquer en cours ? Il faut en plus que tu fasses un bouchon ?

Je me retourne d'un bloc. Le brun coiffé comme un porc-épic (celui que Houdini a appelé Abe) est juste derrière moi. Derrière lui, il y a la fille à la licorne en peluche. Et derrière elle, quatre Pagailleurs plus âgés. Tous me dévisagent avec impatience. Je grommelle :

— Désolé. C'est la première fois que je viens.

Abe lève les yeux au ciel :

— Non, sans blague ? Je t'explique : tu mets la main sur le scanner et tu attends que le tourniquet fasse bip ! C'est pas compliqué.

J'ai bien envie de le laisser passer devant et de me faufiler derrière lui sans scanner mon empreinte, mais Martin me surveille. En plus, de nouveaux Pagailleurs arrivent. La queue s'étire jusqu'à l'extérieur. Plus le temps de réfléchir. Je me retourne vers le scanner, ferme les yeux, pose la main droite à plat sur la boîte transparente...

... et rouvre les yeux d'un seul coup. La boîte a bougé. Mes doigts sont... *aimantés*, comme des magnets sur la porte d'un frigo. En fait, la boîte n'en est pas une : c'est un écran d'ordinateur, qui s'est incliné à quarante-cinq degrés, avec mes doigts collés dessus. Des mots s'affichent au-dessus de ma main :

BIENVENUE, SEAMUS HINKLE ! TU AS... - 20 CRÉDITS !

Abe ricane. Mlle Licorne glousse. Martin dit :

— C'est un score normal, pour un débutant. Mais si j'en crois les rumeurs, tu pourras bientôt te payer le Superbombardier de Kilter !

Pour le coup, Abe et Mlle Licorne ne rigolent plus du tout.

— Le Superbombardier coûte cinquante mille crédits ! gronde Abe. C'est le truc le plus cher de l'Arsenal !

— Je sais, opine Martin en me faisant un clin d'œil.

Le tourniquet bipe. Je me précipite de l'autre côté, manquant de faire tomber les pailles et les sarbacanes posées sur un présentoir.

Tout ce que je veux, c'est m'éloigner de ces Pagailleurs. Je m'engouffre dans un rayon au hasard. Et là, je comprends pourquoi on a appelé ce magasin « l'Arsenal ». Sous mes yeux : des carabines à air comprimé, des pistolets de paintball, des pistolets à eau, des pistolets à billes, des arcs et des flèches. Des bombes à eau aussi grosses que des ballons de baudruche…

Toutes ces armes me rappellent que j'ai tué Mlle Parsippany. Et sans pistolet. Je longe le couloir en regardant droit devant moi.

Je finis par trouver Lemon au fond du magasin, devant un présentoir surmonté d'un écriteau : « CAUCHEMARS POUR POMPIERS ». Je m'approche. Le présentoir croule sous les briquets, les allumettes, les allume-barbecue, les jerricanes d'essence, les cagoules de protection et les combinaisons ignifugées.

Lemon, lui, est fasciné par un disque argenté avec un trou au milieu, enfermé dans une vitrine coincée tout en haut du présentoir : le « Détecteur de Fumée avec Extincteur Intégré de Kilter ».

— Tu veux acheter ça ? je lui demande.

— Ça coûte deux mille crédits.

— Et t'en as combien ?

Il tourne la tête vers moi et plisse les yeux.

— Moi, j'en ai moins vingt, j'avoue.

Il ne me sourit toujours pas, mais il arrête de plisser les yeux. Je refuse de passer pour un fouineur, alors je lui demande :

— Comment on fait pour en gagner d'autres ?

Lemon relève les yeux.

— On nous en donne dix par semaine. C'est pareil que l'argent de poche, sauf qu'on n'est pas obligé de faire son lit. On peut aussi en gagner en faisant des bêtises – celles que tu veux, ou celles demandées par les profs quand ils te donnent des devoirs. Et aussi, en recevant des avertissements. Un avertoche vaut un crédit.

— Et qu'est-ce qu'on gagne, avec les étoiles d'or ?

— Rien : chaque étoile te fait perdre un crédit. (Il repose les yeux sur moi.) T'as vraiment dû jouer les petits anges – c'est-à-dire ne pas faire ce qu'il faut – pour te retrouver en négatif en si peu de temps. T'as appelé le Standard des Fayots, ou quoi ?

Mon cœur rate un battement.

— C'est comme ça qu'on gagne des étoiles d'or ?

— C'est surtout comme ça qu'on alerte la sécurité et qu'on devient le dernier de la classe, grogne Lemon. Il vaut mieux perdre quelques crédits plutôt que de balancer un copain. Si tu caftes trop, tu risques d'être très vite hors course.

Lemon ne me laisse pas le temps de comprendre ces nouvelles règles. Il reporte son attention sur le disque argenté et poursuit :

— Dans ton K-pad, il y a un dossier appelé « Bulletin de Kilter ». Tes avertissements et tes étoiles d'or sont comptabilisés toutes les heures. T'as qu'à cliquer sur l'icône en forme de pomme rouge.

Une pomme. Bien sûr. J'enchaîne :

— Est-ce que le compte des avertissements diminue quand on dépense des crédits ?

— Non. Annika veut que nous ayons toujours connaissance de nos performances et de nos erreurs malgré nos achats. Tes comptes d'avertoches et d'étoiles vont sans cesse augmenter. Par contre, tes crédits vont fluctuer. Pour voir combien tu en as, clique sur l'icône en forme de dollar dans ton K-pad. (Il prend une boîte d'allumettes sur le présentoir.) Si tu veux pas rester à la traîne, il vaudrait mieux que tu commences à attaquer les profs.

L'image de Mlle Parsippany s'écroulant sur le sol

danse devant mes yeux. Je secoue la tête pour la faire disparaître.

— T'as entendu Houdini, reprend Lemon. On est obligés de battre les profs. La récompense, c'est cent crédits pour chaque prof battu. Et toi, t'es arrivé en retard. Alors je te conseille de mettre les bouchées doubles.

— Mais… et si j'y arrive pas ? Si je ne gagne aucun avertissement ?

Car avant l'épisode de la Pomme Maudite, je ne faisais *jamais* de bêtises. Je suis sûr de rater toutes les épreuves ici.

— Alors là, tu…

— Hé ! Limonade !

Lemon se retourne et fourre les mains dans les poches de son jean.

— Salut, Abraham.

Abe s'approche de nous en crânant, une sucette à la bouche et une boîte de bombes de peinture sous le bras.

— Je vois que tu pètes le feu ! ricane-t-il.

Lemon ne répond pas. J'hésite à prendre sa défense et à le faire à sa place.

Abe aspire la bave sucrée de sa sucette et continue :

— Toujours à rêvasser devant le Détecteur de Fumée avec Extincteur Intégré de Kilter ? Dommage que t'aies pas reçu de bons de réduction avec tes avertoches !

Mlle Licorne vient nous rejoindre. Je me souviens qu'elle s'appelle Gabby.

— Regardez ! siffle-t-elle. Y a Fern l'Amnésique, au rayon ballons !

Je tourne la tête vers la pyramide de ballons multicolores empilés du plus grand au plus petit. En bas, les ballons sauteurs. Au milieu, les ballons de foot, de basket, et d'autres de toutes sortes. Et tout en haut, des balles rebondissantes qu'on peut gagner dans les distributeurs des fêtes foraines.

Une jeune femme brune (Fern, une prof qu'Annika m'a présentée hier soir) se tient à côté de la pyramide. Ses cheveux bouclés sont légèrement décollés du crâne, comme si elle venait d'enfoncer les doigts dans une prise électrique. Elle porte des lunettes à monture blanche en forme de papillon. Elle attrape une balle rebondissante et la secoue près de son oreille.

— Vas-y, chuchote Lemon en me donnant un petit coup de coude. C'est le moment.

— Le moment de quoi ?

— De gagner des crédits ! Fais-la rire, crier, tomber dans les pommes…

— Comment ?

— Fern est notre prof de gym, explique Gabby. Sa spécialité, c'est d'esquiver les ballons. Tu captes ?

J'ai capté, oui :

— Il faut que je la bombarde de ballons ?

— *Yes !* s'exclame Gabby, avec un grand sourire.

L'idée paraît l'enchanter. Moi, beaucoup moins. Je grogne :

— Pas question.

— Génial, commente Abe en faisant passer sa sucette dans la joue gauche. Reste là. Tu vas vachement progresser.

Lemon le foudroie du regard et s'avance vers moi.

— Allez ! C'est du gâteau ! Elle est occupée, et le magasin est bondé ! Elle ne saura pas qui a fait le coup !

Elle, non. Mais moi, oui.

— Si c'est si facile, pourquoi vous n'y allez pas, vous ? Vous êtes là depuis plus longtemps que moi. C'est vous qui méritez de gagner des avertoches !

Je l'ai battue la semaine dernière, m'apprend Gabby.

— Et moi, il y a quinze jours, ajoute Lemon.

— Et moi, le jour de la rentrée, achève Abe avant de croquer sa sucette.

Cette fois, je ne peux plus me défiler. Fern semble concentrée sur la pyramide de balles et de ballons, mais peut-être est-ce un piège ? Les Pagailleurs naïfs, ça existe. Moi, par exemple. Ce serait bête de se faire prendre dès le premier jour, non ?

— Bébé a peur des grands ? me nargue Abe.

À cet instant, je vois le film de ma vie passer dans ma tête en accéléré. Bartholomew John et son sourire narquois. Les poissons panés qui baignent dans le lait. La pomme qui vole. Mlle Parsippany qui s'effondre.

Je lance à Abe un regard qui veut dire : « Même pas peur ! » et fais un signe de tête à Lemon.

— À tout'.

Je m'approche de la pyramide. Fern repose la balle rebondissante et contourne la pyramide pour en attraper une autre. C'est le moment. Je m'accroupis derrière un présentoir garni de sachets de goudron et de plumes à passer au micro-ondes. Soudain, Fern lève les yeux vers moi. Mon cœur bat très fort : elle m'a vu, ou pas ? Elle prend une balle de softball et commence à la malaxer. Ouf ! J'ai eu chaud !

Je regarde autour de moi. Qu'est-ce que je pourrais bien lui jeter à la tête ? Du goudron et des plumes ? Quand même pas ! Une lampe de poche ? Non plus. Des lunettes à infrarouge ? Encore moins. Non, il faut des ballons, et les seuls trucs qui y ressemblent, ce sont les trois bombes à eau pleines posées sur une étagère en verre. Je n'ai qu'à tendre la main pour les atteindre. Pendant deux secondes, je songe à aller chercher un vrai ballon, mais je sais que dès que je me serai éloigné, je me dégonflerai. Et si j'essaye d'en prendre un dans la pyramide, Fern me verra à coup sûr.

Donc : les bombes à eau.

Je saisis la plus petite, qui fait la taille d'une balle de tennis. Dans ma main, le caoutchouc est lisse et ferme. D'après la pub sous le présentoir, avec des bombes à eau de petit modèle, on peut faire exploser une vitre à plus de six mètres.

Sauf que cette fois, je ne compte rien casser.

J'observe Fern, attendant le moment propice pour frapper. Je la regarde tapoter, pétrir, secouer, soupeser, faire briller chaque balle en la frottant sur la manche de sa veste. Comme Maman avec les fruits du supermarché, mais dix fois plus lentement.

J'en ai marre d'attendre. Qu'importe si mes crédits sont en négatif. Je me fiche de gagner des avertissements, ou d'être un bon Pagailleur. Ce qui est arrivé à Mlle Parsippany m'a traumatisé. Hors de question que ça se reproduise.

Je m'apprête à reposer la bombe à eau quand j'entends Abe ricaner :

— Quelle poule mouillée !

Sur le même ton que Bartholomew John m'avait dit : « Tiens ! Du calcium ! C'est bon pour la croissance ! »

Alors là, impossible de reculer. Question d'honneur. Je me retourne vers Fern.

Je vais la rater, c'est certain. Mais au moins, j'aurai essayé.

Et puis, un poster accroché au mur derrière Fern attire mon attention : celui d'un garçon vêtu d'un jogging et d'une casquette de base-ball gris avec les initiales argentées de l'académie Kilter brodées dessus. Il est blond, joufflu, et sourit d'un air bête. D'ici, il ressemble à Bartholomew John. Et il me donne drôlement envie de lui balancer une bombe à eau dans la figure.

Je retiens mon souffle. J'arme le bras droit. Je visualise la trajectoire de la bombe à eau : arc de cercle parfait au-dessus de la tête de Fern, et bam ! en plein dans la poire du garçon.

Je lance la balle pile au moment où on me bouscule. La bombe à eau m'échappe des mains, et je tombe par terre.

La bombe percute un ballon de basket coincé au milieu de la pyramide et elle explose. Et quand je dis : « explose », je n'exagère pas : des dizaines de ballons sont propulsés vers le plafond. Fern est bombardée. Touchée à l'épaule, à la poitrine, au ventre et aux fesses, elle tourne sur elle-même comme un soldat criblé de balles dans un jeu vidéo. Elle s'écroule sur le sol, la bouche arrondie en un « O » de surprise.

— Pardon ! s'exclame le Pagailleur qui m'a bousculé. Rien de cassé ?

Il fourre une télécommande sous le bras, se penche au-dessus de moi et me tend la main pour m'aider à me relever.

— Je viens d'acheter un nouvel avion télécommandé, m'explique-t-il. Il va falloir que je m'entraîne.

J'attrape sa main, m'assieds et regarde entre les pieds

du présentoir à goudron et à plumes. À genoux au milieu des balles rebondissantes, Fern se frotte les yeux et cherche ses lunettes à tâtons. J'envisage d'aller l'aider, quand elle met finalement la main dessus.

Cette fois, nos regards se croisent.

Avec un sourire radieux, Fern se frappe les cuisses et s'écrie :

— Seamus ! J'aurais dû m'en douter !

C'était un accident. Il faut que je le lui dise. Soudain j'entends un bruit bizarre. Sur mon dos, mon cartable fait bzz ! bzz ! Je sors mon K-pad du sac : l'écran tactile est rouge vif. J'ai un nouveau message :

FÉLICITATIONS, SEAMUS HINKLE ! TU AS BATTU FERN NOOGAN ET GAGNÉ 100 AVERTISSEMENTS ! TU ES SUR LA BONNE VOIE POUR DEVENIR UN PAGAILLEUR PROFESSIONNEL !

Chapitre 7

AVERTISSEMENTS : 100
ÉTOILES D'OR : 20

Quand Papa est déboussolé, il n'arrête pas de répéter : « Je ne sais plus sur quelle machine calculer. » Comme quand on dit : « Je ne sais plus sur quel pied danser. » Par exemple, quand Maman lui fait croire qu'il mange du poulet alors qu'elle a préparé du tofu. Ou quand le lecteur DVD éjecte le disque en plein milieu du film. Ou quand on passe à l'heure d'été, ou d'hiver. Mais Papa a une bonne excuse : il est comptable. Si sa vie était une boussole, les points cardinaux seraient : plus, moins, divisé et multiplié.

Moi non plus, je ne sais plus sur quelle machine calculer. Il fait nuit, je suis dans ma chambre, et je gamberge à mort. D'un côté, j'ai gagné cent avertissements, ce qui est plutôt positif. Mes camarades semblent m'avoir accepté, même si je dois encore faire mes preuves. Quand je les ai rejoints, tout à l'heure, juste après mon « exploit », Lemon m'a accueilli avec un grand sourire, Gabby m'a mis une tape dans le dos et Abe n'a pas levé les yeux au ciel une seule fois. Au moins, j'ai réussi à ne pas me faire d'ennemis.

D'un autre côté, j'ai cassé la figure à une *prof*. Je sais qu'ici, c'est une bonne action, mais après l'histoire avec Mlle Parsippany, je me sens mal, je suis obligé de poser une question super importante :

— Pourquoi ?

Allongé sur son lit, tourné vers le mur, Lemon est en train de faire des ombres chinoises avec un briquet. La flamme s'éteint avec un petit *clic*.

— Pourquoi quoi ?

Je ferme ma BD et la jette au pied du lit.

— Pourquoi on est là ?

— Parce qu'on a fait des bêtises et que nos parents ne savaient pas quoi faire de nous, répond Lemon.

Ça, je l'avais compris, merci.

— Mais pourquoi est-ce qu'on nous apprend à semer la pagaille ? À quoi ça va nous servir, quand on sortira d'ici ?

Silence. Peut-être que pour Lemon, deux questions à la fois, c'est trop. J'attends. Au bout d'un moment, il se retourne. Pas trop vite. Sa jambe gauche se décolle de sa jambe droite et se pose sur le matelas. Son corps pivote, centimètre par centimètre, jusqu'à ce que la gravité lui plaque les épaules sur le lit. Il laisse passer quelques secondes pour récupérer. Cet effort semble l'avoir épuisé. Enfin, il inspire un grand coup, se soulève sur le coude gauche et lâche :

— *Hamlet*.

Allons bon ! Voilà qu'il parle en langage codé, maintenant. Je suis archi nul à ce jeu.

— Tu m'expliques ?

— Tu connais pas Shakespeare ? *Hamlet*, c'est l'histoire d'un prince qui veut se venger de son oncle parce qu'il a tué son père.

— J'ai lu la pièce en classe, mais je ne vois pas le rapport.

— « Être ou ne pas être, telle est la question : y a-t-il pour l'âme plus de noblesse à endurer les coups et les revers d'une injurieuse fortune… ? » cite Lemon.

Je me rappelle ces vers, mais je ne vois toujours pas où il veut en venir.

— Ce truc a été écrit il y a un million d'années, insiste-t-il. Ça fait des siècles que plus personne ne parle comme ça. Pourtant, on nous oblige encore à lire du Shakespeare.

— Et alors ?

— Alors à quoi ça sert de lire des antiquités ? Qu'est-ce que la littérature anglaise nous apporte, dans la vraie vie ?

Mon prof d'anglais de l'an dernier disait que quelle que soit l'époque, les thèmes traités dans les pièces de théâtre sont toujours les mêmes : l'amour, la trahison, la vengeance…

J'ai le déclic :

— Ce qu'on nous apprend au collège ne nous sera pas très utile quand on sera grands.

— Exact ! s'exclame Lemon. Ici, on peut faire ce qu'on veut, quand on veut. Chez moi, j'étais tout le temps puni. Puni de copains, de télé, de sortie… En comparaison, Kilter, c'est le paradis. Les vraies vacances, quoi.

Je me souviens de mes seules vraies vacances. On était

partis voir les chutes du Niagara. Maman s'était enrhumée sur le bateau, et on avait passé le reste du séjour coincés dans notre chambre d'hôtel minuscule à regarder *La Roue de la fortune*. J'avais bien aimé, mais l'académie Kilter, c'est quand même plus marrant. Même en vacances, je n'ai jamais eu de films en 3D. Ni de poissons panés à volonté. Ni le droit de veiller toute la nuit.

Ici, je m'éclate, mais je ne le mérite pas. J'ai déjà de la chance d'être en vie, alors...

Je n'ai pas envie de parler de Mlle Parsippany avec Lemon et préfère changer de sujet :

— Tes parents croient qu'ici on t'apprend à bien te conduire. Ça ne te fait rien de leur mentir ?

Ses yeux tristes croisent les miens, puis se ferment. Emporté par la gravité, Lemon s'allonge sur le dos... et ne bouge plus.

J'ai dépassé la limite des questions autorisées.

Tout à coup, mon K-pad vibre, près de mon oreiller. J'ai reçu un nouveau k-mail.

À : s.hinkle@kilter.org
De : annika@kilter.org
Objet : Hourra !

Cher Seamus,

Bravo pour ta remarquable performance à l'Arsenal ! Fern en est restée baba !

Ta carrière de Pagailleur démarre sur les chapeaux de roues ! J'ai hâte de voir la suite...

Bien amicalement,

Annika.

P.-S. : si tu as besoin de quoi que ce soit, surtout, n'hésite pas !

Alors là, vraiment, je ne sais plus sur quelle machine calculer. On nage en plein délire. Annika est ravie. J'ignore si je dois rire ou pleurer.

J'ai dû rater un épisode. Je m'apprête à relire le message lorsque mon K-pad vibre à nouveau. Encore un k-mail.

À : s.hinkle@kilter.org
De : arsenal@kilter.org
Objet : Prof KO, courses à gogo !

Salut, Seamus !

Bien joué ! Tu as démoli la tête de Fern Noogan, et gagné 100 avertissements. Après déduction des 20 étoiles d'or reçues en appelant le Standard des Fayots, il te reste... 80 crédits !

Les nouveautés de l'Arsenal t'attendent, mais toi, n'attends pas ! Tout le monde rêve de se payer la Fronde top-délire-méga groove (édition limitée), qualifiée de « meilleure arme du genre » par *Trouble-fête Magazine* !

Une icône en forme d'appareil photo est insérée dans le message. Je clique dessus et une photo apparaît, avec un garçon qui tient une sorte de lance-pierres (qui n'a pas la forme d'un Y, mais d'un K) à l'horizontale.

La Fronde est au prix imbattable de 75 crédits ! Dépêche-toi !

À ton service,

L'Équipe de l'Arsenal.

Je cherche l'icône en forme de poubelle pour y glisser ce message. Je ne veux pas savoir ce que je pourrais acheter à l'Arsenal. J'ai tué quelqu'un avec une pomme, alors imaginez un peu les dégâts que je pourrais faire avec un lance-pierres… ou n'importe quelle autre arme !

Soudain j'ai une idée. La boîte k-mail de Kilter ressemble à n'importe quelle autre boîte e-mail, avec les onglets « Boîte de réception », « Boîte d'envoi », « Courrier indésirable », « Nouveau message », « Destinataire » et « Objet ». Plus le grand carré blanc où on peut taper le message.

C'est une idée géniale. La meilleure des meilleures. Pourquoi ne l'ai-je pas eue plus tôt ? J'étais sans doute trop occupé à rester en vie, à aller en cours et à semer la pagaille.

Je vais envoyer un e-mail à Papa et Maman, et après, je me sentirai beaucoup mieux.

Maman ne consulte jamais sa boîte e-mail. Par contre, Papa garde toujours la sienne ouverte au bureau.

Je tape :

À : supercomptable@supercomptable.com
De : s.hinkle@kilter.org
Objet : COUCOU !!!

Cher Papa,

Comment tu vas ? Comment va Maman ? Vous êtes bien rentrés ? Quoi de neuf ? Ma chambre est toujours en ordre ?

C'est trop cool, ici ! On mange super bien et les copains sont sympas. J'ai eu mes premiers cours, aujourd'hui, et j'ai pensé à toi en maths.

J'hésite à lui avouer que mon cours de maths n'en était pas vraiment un : Houdini me l'a déconseillé. Papa me croirait, mais il raconterait tout à Maman. Et comme c'est elle qui a eu l'idée de m'envoyer à Kilter, elle penserait que j'invente un bobard. Je ne vous raconte pas la tête qu'elle ferait si je lui disais qu'elle m'a inscrit dans un camp d'entraînement de Pagailleurs top secret... Elle croirait que je mens pour que Papa et elle se sentent mal et qu'ils viennent me chercher. Pour Maman, le meurtre est pire que tout. Et le mensonge arrive en deuxième position.

Non. Le mieux, c'est de faire simple. Du moins pour l'instant.

> J'ai beaucoup de devoirs, mais je voulais te faire un petit coucou, et te dire que tu peux m'envoyer un e-mail QUAND TU VEUX. On nous a donné une tablette tactile qui vibre dès qu'on reçoit un message. Comme ça, je saurai que tu m'as écrit à la seconde où l'e-mail arrivera. C'est cool, hein ?

J'ai bien envie de m'excuser. Je ne veux pas que mes parents pensent que j'ai oublié ce que j'ai fait. D'un autre côté, je me dis qu'ils seraient contents de savoir que leur fils s'est bien adapté, qu'il a compris la leçon et qu'il est prêt à retourner dans un collège normal.

En tout cas, si j'étais eux, ça me rassurerait. Alors je conclus par une note joyeuse :

> Tu me manques ! Je t'aime ! Bisous à Maman !
> Seamus.

Je relis le message pour voir si je n'ai pas fait de fautes et je clique sur « Envoyer ». Je suis aussitôt soulagé. Je ne comprends rien aux règles de Kilter, mais ça m'est égal. L'important, c'est que mes parents me pardonnent et continuent à m'aimer autant qu'avant. Et si on s'écrit régulièrement, ça nous aidera.

Je jette un coup d'œil à Lemon. Il ronfle. Au moins, ma question ne l'a pas perturbé. Je ramasse ma BD et reprends ma lecture. Trois secondes plus tard, mon K-pad se remet à vibrer.

Je lâche le livre et m'empare du mini-ordinateur.

Papa doit travailler tard. Il a reçu mon message et m'a tout de suite répondu. Ça prouve qu'il est super content d'avoir de mes nouvelles.

Je fixe le petit écran en souriant. Les secondes ne m'ont jamais paru aussi longues. Le message arrive, par paquets de kilo-octets. Il charge...

Il est arrivé.

> ERREUR !
>
> Votre message « COUCOU !!! » n'a pas pu être remis à votre destinataire supercomptable@supercomptable.com. Adresse non valide. Rappel : le système de réseau k-mail est un système intranet et ne fonctionne qu'à L'INTÉRIEUR du collège.
>
> Merci pour votre confiance !
>
> Le service informatique de Kilter.
>
> Ceci est un message automatique, merci de ne pas y répondre.

Je retombe sur mon lit et je rabats la couverture sur ma tête. La voilà, ma punition : être coupé du monde – de mes *parents* – pendant plusieurs semaines. J'ai beaucoup de chance, en fin de compte : n'importe quel autre tueur aurait été condamné à mort.

N'empêche. Je dois faire un gros effort pour m'empêcher de pleurer.

Je reste allongé sans bouger, à compter les ronflements de Lemon, en espérant qu'il se réveille. J'aimerais parler à quelqu'un, même si ce quelqu'un n'est pas mon meilleur copain. Quand les ronflements se transforment en bruit de moteur de hors-bord, je comprends que Lemon ne me parlera pas ce soir. Je m'arrête de compter à 127. Je ne me suis jamais senti aussi seul depuis mon arrivée à Kilter.

Tout à coup, je me rappelle ce que m'a dit Annika, hier soir. Écrire un journal intime... Pourquoi pas ? C'est un peu comme parler à un copain, non ? Je n'ai rien à perdre : je sors la main de sous la couverture et cherche mon K-pad à tâtons. Mes doigts se referment sur la coque en plastique. Je glisse la tablette tactile sous la couverture, l'allume et commence à écrire :

À : parsippany@cloudview.edu
De : s.hinkle@kilter.org
Objet : Pardon

Chère Mademoiselle Parsippany,

Aujourd'hui, j'ai fait quelque chose de terrible. Quelque chose que j'avais juré craché de ne jamais refaire, après ce qui s'est passé à la cantine de Cloudview.

J'ai frappé une prof. Pas une fois, mais QUATRE. Enfin... ce n'est pas moi qui l'ai frappée, ce sont les ballons. Mais quand même. C'est ma faute. C'est comme si je lui avais donné des coups de poing.

Je pensais pourtant avoir retenu la leçon après

l'épisode de la Pomme Maudite : plus de bêtises ni de violence – du moins, pas envers un professeur. Je m'étais promis de ne pas recommencer. Parce que c'est mal. Très mal, même.

Eh bien, devinez quoi ? J'ai recommencé. Je n'ai pas tenu deux semaines. On m'a envoyé dans la meilleure maison de redressement du pays, mais je ne serai jamais un enfant modèle. Je suis incorrigible.

Je voudrais demander pardon à cette prof, mais je crois qu'elle refusera de m'écouter. Je voudrais demander pardon à mes parents, leur dire que je me suis encore mal comporté, mais je n'arrive pas à les joindre. Alors je vous demande pardon, à vous. Parce que c'est à vous que j'ai fait le plus de mal. C'est un peu tard, mais comme on dit : mieux vaut tard que jamais...

Pardon, Mademoiselle Parsippany. Pardon, pardon, pardon.

Seamus Hinkle.

Chapitre 8

AVERTISSEMENTS : 100
ÉTOILES D'OR : 35

Je mets du temps à m'endormir. J'ai l'impression d'être un magnétoscope numérique, comme celui que Maman allume tous les soirs à 19 heures pour regarder les épisodes de son feuilleton préféré. Elle passe certaines scènes en accéléré et ne regarde que celles où les acteurs crient, pleurent ou s'embrassent. Dans mon cerveau qui turbine, Houdini bâille, des ballons volent, et Fern sourit. Finalement, je décide de penser à Élinor – elle regarde par la fenêtre en cours de maths… – et m'endors peu après.

Je suis réveillé en sursaut par des hurlements :

— Stooop !

Je m'assieds sur mon lit.

— À terre !

Je me frotte les yeux.

— Roule-toi par terre !

J'ai du mal à respirer.

À travers un rideau de fumée grise, je vois Lemon debout devant une valise ouverte. Il a allumé un feu dedans.

— Stop ! répète-t-il.

Je roule sur le sol. Lemon ferme les yeux. Se balance d'avant en arrière. Craque une allumette et la jette dans le feu, qui grossit, grossit, grossit en même temps que ma terreur. Les flammes m'empêchent d'approcher la fontaine à eau. La fumée m'entre dans le nez, dans la bouche, dans la gorge. Je retiens ma respiration et attrape le téléphone.

— Standard des Fayots, bonjour ! Que puis-je...

Je halète :

— Y a le feu !... Le feu... partout !

La fumée envahit mes poumons. Je me mets à tousser, sans pouvoir m'arrêter. Je voudrais rejoindre Lemon, le secouer pour le réveiller, mais j'ai les jambes et les bras paralysés. La chaleur est insupportable. Ma peau doit être en train de fondre. Dans trois secondes, elle va se détacher de mes os, et je ne serai plus qu'un petit tas de cendres sur le sol. Les doigts crispés sur le téléphone, j'approche le combiné de mes lèvres brûlantes et murmure :

— S'il vous plaît, dites à mes parents que...

La porte s'ouvre. Trois hommes en pantalon kaki et chemise à carreaux entrent dans la chambre sans se presser. Ils ont une banane rouge accrochée autour de la taille. Le premier prend le petit extincteur argenté qui pend à sa ceinture et éteint le feu avec un jet de mousse blanche. Le deuxième sort une boîte argentée de son sac et appuie sur un bouton. La fumée est aussitôt aspirée dans la boîte. Le troisième ouvre la fenêtre et donne une pichenette sur l'oreille de Lemon, qui se réveille en sursaut. Ils ont agi en silence et dans le calme. À mon avis, ce n'est pas la première fois qu'ils interviennent.

Plus de bruit. Peut-être que je suis mort ?

Et puis, j'entends la femme aboyer dans le combiné plaqué contre ma poitrine :

— Allôôô ? Vous êtes toujours là ?

Je réponds d'une voix enrouée :

— Oui. Enfin... je crois.

— Seamus Hinkle, cafardage sans préméditation !

Tuuut !... La tonalité résonne dans le combiné. La femme a raccroché. Les trois hommes se tournent vers moi. J'essaie de contrôler mes tremblements pour reposer le téléphone sur sa base. On me colle soudain un masque à oxygène sur la bouche.

— Qu'est-ce que...

— Chut ! m'ordonne une voix grave. Respire.

J'obéis. Je n'ai pas le choix : le masque m'empêche d'ouvrir la bouche, et l'homme m'appuie sur la tête. Il a une sacrée poigne. Ce qui m'épate, parce qu'il ne ressemble pas à un super-sauveteur, avec ses pieds nus dans ses mocassins. On dirait plutôt mon présentateur télé préféré.

J'inspire et j'expire lentement, imité par Lemon, à qui on a aussi donné un masque. Petit à petit, la brûlure dans mes poumons, ma gorge et mon nez disparaît. Super-Mocassins relâche sa pression et m'enlève le masque à oxygène.

Le premier homme sort de sa banane un K-pad qui porte l'inscription « BS 7 » sur la tranche, et demande :

— Un volontaire pour raconter ce qui s'est passé ?

Je jette un coup d'œil à Lemon. Il fixe les braises dans la valise, dérouté.

Cette fois, pas de doute : on va avoir de gros ennuis. J'explique :

— On était en train de dormir. Lemon ne savait pas ce qu'il faisait... Il était... ailleurs.

BS 7 me regarde avec des yeux de merlan frit.

— C'était un accident, je précise.

BS 7 ne répond rien. Comme s'il me laissait une chance de retirer ce que j'ai dit. Je me tourne vers Lemon, qui me lance un drôle de regard avant de se tourner vers BS 7 :

— Ce n'était pas un accident : j'ai allumé un feu en pleine crise de somnambulisme. Je suis encore dans la phase « test ».

BS 7 lâche un sifflement grave.

— Très impressionnant. Tu vas sûrement gagner des avertissements.

— Par contre, tu seras puni de pagaille pendant deux jours, prévient le deuxième homme.

— OK, grommelle Lemon.

Les hommes quittent la chambre sans rien ajouter. Lemon va prendre une douche dans la salle de bains. Il fait déjà jour. Je regarde mon K-pad : 8 h 20. On a une « réunion spéciale » dans dix minutes.

Je vais me débarbouiller et m'habiller dans la salle d'eau commune au bout du couloir. De retour dans la chambre, je trouve Lemon assis sur son lit. Un million de questions se bousculent dans ma tête. C'est qui, ces BS ? Des pompiers, des gardiens, des agents de sécurité ? Pourquoi ont-ils puni Lemon de pagaille pendant deux jours ? Et surtout : pourquoi Lemon a-t-il menti ?

C'est vrai : il n'a pas fait exprès d'allumer ce feu, si ?

Je n'obtiendrai pas de réponse pour l'instant : Lemon regarde droit devant lui. Ses cheveux trempés lui gouttent sur le front et sur le nez. Je lui tends une serviette ; il ne bouge pas d'un centimètre.

Il doit être furieux. J'ai paniqué, j'ai encore appelé le Standard des Fayots, et il m'en veut à mort. Je m'apprête à m'excuser quand il m'interroge :

— Ça va ?

Alors là, je suis scié. C'est le premier à me demander comment je vais depuis l'épisode de la Pomme Maudite. Je pensais que plus personne ne me poserait cette question. Ma bouche s'ouvre et se referme toute seule.

Le regard fixe, Lemon agrippe ses genoux et reprend :

— T'as rien ? Tu t'es pas brûlé, ni…

Je m'empresse de le rassurer :

— J'ai la gorge qui pique un peu, mais je vais bien.

Il laisse retomber sa tête et décrispe les doigts.

Pour détendre l'atmosphère, je lance :

— J'ai hâte d'aller à cette « réunion spéciale ». Pas toi ?

— Si, admet Lemon avant de pousser un profond soupir.

On se dirige vers le Pavillon des Spectacles en silence. J'en profite pour réfléchir à ce qui vient de se passer. Tout à coup, quelqu'un me fourre un seau de pop-corn sous le nez et s'exclame :

— Beurre ? Sel ? Caramel ?

Hugh, le serveur du Fastfood, se tient devant moi tout sourire, avec une carafe de liquide doré fumant à la main. À côté de lui, il y a un chariot argenté chargé de nourriture : bols de caramel chaud, salières, poivrières et autres pots. Derrière Hugh, une machine de deux mètres de haut est en train de torréfier des amandes. J'étais tellement occupé à réfléchir que je ne m'étais pas aperçu qu'on était arrivés au Pavillon des Spectacles. Je marmonne :

— Non, merci.

— Je voudrais un peu des trois, annonce Lemon.

Tandis que Hugh arrose le pop-corn de beurre salé et de caramel fondu, j'examine le bâtiment. Un long tapis argenté mène à un stade aux gradins en verre et en acier qui brille de mille feux. Tout autour flottent des drapeaux argentés au logo de l'académie Kilter. Plusieurs stands proposent des tonnes de nourriture : glaces, pop-corn, hot dogs, bonbons... M&M's aux couleurs de l'arc-en-ciel, et plus encore (un arc-en-ciel n'a que sept couleurs, alors que ces M&M's en comptent au moins cent). De chaque côté du tapis, on a accroché des bouquets de ballons argentés, et planté des cierges magiques qui le font scintiller.

L'endroit grouille d'élèves. Je reconnais quelques copains de classe. Les autres, plus âgés, discutent et rigolent. Ils semblent à l'aise ; ils doivent avoir l'habitude de venir ici. Ils portent tous le même anorak argenté, avec un écusson de l'académie Kilter d'une couleur différente brodé sur la manche. Je remarque plusieurs emblèmes dessinés sur les écussons : une grenade, un buste d'homme, deux masques de théâtre, l'un souriant, l'autre grimaçant.

Soudain, une voix masculine retentit dans le haut-parleur fixé au-dessus de ma tête :

— Veuillez vous asseoir ! Le spectacle va commencer !

Aussitôt, les élèves se dirigent vers le stade. Lemon saisit quelques serviettes en papier, un soda, et me précède dans les gradins.

— Les anciens élèves, à vos places ! ordonne la voix. Les nouveaux, devant !

— Super ! commente Lemon. On est au premier rang !

C'est la place rêvée. Je le sais, parce que Maman nous a souvent emmenés, Papa et moi, voir des spectacles de danse et des concerts de musique classique à la salle des fêtes de Cloudview. D'habitude, les gens adorent être au premier rang. Surtout les personnes âgées, qui n'y voient pas très bien, ou qui sont dures d'oreille – ou les deux. Les places au premier rang sont plus chères, et en général, il faut arriver plusieurs heures en avance pour les réserver. Moi, je préfère être derrière, où on peut dormir tranquille.

Le Pavillon des Spectacles est un peu différent. La scène est immense, mais les places sont moins nombreuses. Les baffles crachent de la musique rock en continu ; des stroboscopes illuminent la scène. Ça m'étonnerait que j'arrive à m'endormir avec ça. En plus, devant la scène, il y a une banderole « BIENVENUE AUX NOUVEAUX APPRENTIS PAGAILLEURS ». Ce qui me fait penser qu'on va peut-être participer au spectacle. Autrement dit : je suis mal barré.

Ça n'a pas l'air d'inquiéter Lemon : il se dirige vers

le premier rang en mâchant son pop-corn et en sirotant sa boisson. Je vérifie qu'il ne reste pas de place au dernier rang (on ne sait jamais). C'est à ce moment qu'on me tape sur l'épaule.

Je me retourne : M. Tempest se tient devant moi. Vous vous souvenez de lui ? Le prof bizarre qui était assis à la table d'Annika, le premier soir, celui qui ne parle pas. Il porte un long manteau noir en laine boutonné jusqu'au cou et tient un cône glacé dans chaque main : fraise à gauche, vanille à droite. Je vois ses lèvres remuer, mais la musique couvre le son de sa voix.

— Pardon ?

M. Tempest pince les lèvres et écarte les narines.

— Avez-vous *marché* sur un *chewing-gum* ?

— Quoi ?

— Est-ce que les *semelles* de vos *chaussures* sont entrées en contact avec une *substance collante chimique* préalablement *mâchée* et *non solidifiée* qui empêche vos *pieds* de *bouger* ?

Je regarde sous mon pied droit, puis sous mon pied gauche.

— Encore un surdoué, bougonne M. Tempest avant de s'éloigner.

Je ne sais pas pourquoi, mais sa déception me rassure. Je me dépêche de rejoindre Lemon. Abe et Gabby sont déjà là. Élinor arrive quelques secondes plus tard. Elle s'installe sur le dernier siège libre, côté allée, sans un mot, le regard perdu dans le vide.

Je me penche vers Lemon et désigne Élinor du menton :

— C'est quoi, son problème ?

Mon copain secoue la tête.

— Fais pas attention à Mlle Frigidaire. À moins que tu ne veuilles devenir son esclave.

Mlle Frigidaire ? Qu'est-ce que ça veut dire ? Qu'elle se montre si froide qu'on ne peut pas l'approcher ? On ne s'est pas beaucoup parlé, elle et moi, mais ce n'est pas l'impression qu'elle m'a donnée...

Je n'ai pas le temps de poser d'autres questions. Les lumières s'éteignent et la musique s'arrête. Dans les gradins, tout le monde se tait. Puis, une lueur bleutée, un peu comme celle d'une patinoire, illumine la scène. Lentement, le fond de la scène s'enfonce dans le sol, et réapparaît avec quatre Pagailleurs – un guitariste, un bassiste, un pianiste et un batteur. Ils entament une musique lente et cadencée, comme dans les films quand le méchant suit le gentil sans se montrer.

Ensuite, la partie centrale de la scène disparaît. Dix Pagailleurs en jean, baskets argentées et sweat-shirt gris brillant arrivent sur scène. Debout, les pieds écartés, les mains derrière le dos, la tête droite et des lunettes de soleil sur le nez. Alors que nous sommes à l'intérieur.

Une fois la scène en place, les musiciens cessent de jouer. Silence de plomb. Sur la scène, les Pagailleurs sont aussi immobiles que des statues.

Et soudain, c'est le chaos.

Je veux dire : le *vrai* chaos. La foire. Le grand n'importe quoi. La musique part dans tous les sens, les stroboscopes pulsent, les Pagailleurs s'éparpillent sur la scène, la lumière des spots balaie le sol. Un Pagailleur avec un carquois dans le dos court à l'autre bout de la scène, grimpe le long d'une échelle haute de six mètres, dégaine son arc et encoche une flèche. À l'opposé, un autre Pagailleur monte sur une plate-forme qui ressemble à un balancier d'horloge. La musique s'accélère. On a monté le son au maximum. La plate-forme s'élève vers le plafond voûté et se met à tourner autour d'une barre verticale. Le Pagailleur brandit un disque argenté devant lui. Un spot éclaire l'archer, qui vise le disque avec soin.

— Il va jamais y arriver ! s'exclame Lemon.

La basse couine. La grosse caisse vibre.

Je suis d'accord avec Lemon : la cible bouge beaucoup trop.

Le Pagailleur bande son arc... et tire. La lumière du spot suit la grande flèche argentée, qui fend l'air... et paf ! atteint le centre de la cible.

Aussitôt, une sorte de boule disco géante descend du plafond. Sur le globe, les facettes (sûrement des mini-écrans à cristaux liquides) disparaissent, révélant un message :

EN PLEIN DANS LE MILLE !

Dans la foule, c'est la folie. On hurle, on crie, on applaudit.

Et les numéros s'enchaînent : un Pagailleur met le feu à la scène. Un autre joue les yamakasis en grimpant sur le toit d'une fausse maison. Un troisième peint les spectateurs sur les murs en béton qui bordent la scène. Certains numéros sont un peu bizarres. Par exemple, celui du Pagailleur qui rote dans un micro pendant une minute. Ou celui de la Pagailleuse qui enlève ses lunettes de soleil et qui nous regarde sans cligner des paupières. Pendant ce temps, les musiciens jouent leur musique à pleins tubes.

Le spectacle est un mélange entre un concert de rock

et une représentation de cirque. Assez spécial, mais plutôt marrant.

À la fin, la musique redevient supportable. Les Pagailleurs regagnent leur place. Tous les spots s'éteignent, sauf un.

Et Annika monte sur scène. Aujourd'hui, elle porte un jean noir, un manteau gris à paillettes qui lui arrive aux chevilles et des bottes à talons argentées. Elle agite la main vers les spectateurs, qui applaudissent en criant :

— Ouaiiis !!!

— Alors, ça vous a plu ? demande-t-elle avec un sourire.

Le public vocifère :

— OUAIIIS !!!

Je me bouche les oreilles.

— Vos camarades ont travaillé dur pour préparer ce spectacle, mais je vous assure qu'ils s'amusent comme ça tous les jours ! (Elle baisse les yeux sur le premier rang avant d'ajouter :) Et bientôt, ce sera au tour des nouveaux élèves de l'académie Kilter !

Encore des applaudissements. Je décolle les mains de mes oreilles et demande à Lemon :

— Qu'est-ce qu'elle veut dire par là ?

— Aucune idée, répond mon copain.

Annika continue :

— Trêve de discours. Je déclare ouverte la dix-huitième Cérémonie des Affectations des Pagailleurs !

Lumière tamisée. Puis le noir complet. Seule la boule géante reste éclairée. Elle descend en tournant puis s'arrête à deux mètres du sol.

La voix d'Annika émerge de la pénombre :

— Vous allez rejoindre l'une des six équipes de Kilter. Les Comédiens…

Un emblème lumineux apparaît sur la boule : les deux masques que j'ai vus tout à l'heure sur la manche d'un Pagailleur.

— … les Biologistes…

Un buste d'homme s'allume sur le globe.

— … les Artistes…

Un chevalet et une toile avec un crâne humain.

— … les Pyromanes…

Une flamme.

— … les Cascadeurs…

Une basket ailée.

— … et les Snipers !

Une grenade.

— Des Pagailleurs de deuxième, troisième et quatrième année ont été désignés pour être vos tuteurs, explique Annika. Ils ont été choisis en fonction de vos talents, qu'ils vous aideront à développer en vous donnant des cours particuliers et des conseils personnalisés. (Elle marque un temps avant de conclure :) Vous êtes prêts ?

La foule exulte. Au plafond, une lumière s'allume et éclaire cinq fauteuils à grand dossier disposés en cercle au milieu de la scène, pile en dessous du globe. Annika s'exclame :

— Merci d'accueillir Austin Baker, Carla Simmons, Sam Fitzgerald, Priscilla Todd, et Lucas Horn !

Les Pagailleurs apparaissent l'un après l'autre sur le globe. Je comprends qu'on est en train de les filmer. Je les reconnais : ils sont dans ma classe. Ce sont tous des première année. Ils sont un instant déconcertés, mais très vite, ils sourient et courent s'asseoir dans un fauteuil, sous un tonnerre d'applaudissements. Ils ont l'air super contents. La caméra zoome sur leurs visages, qui s'affichent un par un sur la boule tournante, avec les nom, prénom, âge et lieu de résidence correspondants en grosses lettres blanches.

Ensuite, les artistes de tout à l'heure viennent se placer autour d'eux. La scène se met à tourner lentement. Les artistes prennent un air solennel. Dans les gradins, c'est le silence le plus total. Je commence à transpirer. À la place de ces première année, je serais super nerveux. Je m'essuie le front avec la manche de mon pull.

Tout à coup, la scène s'immobilise. Le fauteuil d'Austin s'arrête devant le Pagailleur-roteur. La caméra fait un gros plan sur le dossier du fauteuil. Sur le globe s'affiche l'emblème au buste d'homme.

— Un Éructeur ! s'exclame Annika. Excellent !

Dans la salle, on siffle, on crie, on applaudit.

Le Pagailleur-roteur a l'air aux anges. Il tapote Austin dans le dos, le conduit jusqu'à une table recouverte d'anoraks argentés, et lui en donne un avec l'emblème au buste humain brodé sur la manche.

Et la cérémonie continue : chaque première année est confié à un tuteur qui a le même talent que lui. Austin, Carla et les autres ont rejoint l'équipe des Biologistes. Tous ont des talents différents. Il y a des roteurs, des péteurs, des postillonneurs...

— Au suivant ! s'écrie Annika. Abraham Hansen !

Abe se lève d'un bond, se précipite sur la scène et se jette dans un fauteuil, qui s'arrête devant le Pagailleur-peintre. Sur le globe, l'emblème à la toile avec le crâne apparaît.

— Bienvenue chez les Artistes ! le félicite Annika. (Elle se tourne vers la foule.) Applaudissez notre nouveau Tagueur !

C'est au tour de Gabby. Son fauteuil s'arrête devant la fille bizarre qui nous fixait tout à l'heure. Puis c'est à Élinor. Son tuteur avait fait un numéro de télépathe aveugle. Bien sûr, c'était un gros bobard, mais j'avais failli y croire.

Tous les première année sont répartis dans les équipes, par groupes de cinq. Chaque fois qu'un élève rejoint une équipe, ses membres explosent de joie. C'est à l'équipe qui criera le plus fort. Les Artistes hurlent, les Cascadeurs beuglent, les Biologistes rugissent.

Jusqu'à maintenant, j'ai été distrait par les lumières et le brouhaha. Je n'ai pas vraiment eu le temps de penser à mon sort. Mais quand Annika appelle Lemon, je comprends que mon tour approche. Là, je me fais tout petit.

Le fauteuil de Lemon s'arrête devant le Pagailleur-incendiaire.

— Un Enflammeur ! s'exclame Annika. Hourra !

Lemon a été admis chez les Pyromanes. Je m'en doutais un peu.

Et maintenant, je vais devoir monter sur scène devant toute l'école. Parce que Annika hurle :

— Une ovation pour... Seeeamus Hiiinkle !

L'estomac en vrac, je regarde le globe géant. Un garçon écarlate aux yeux écarquillés apparaît en gros plan dessus.

SEAMUS HINKLE
12 ANS
CLOUDVIEW, NEW YORK

Je retiens mon souffle. J'attends qu'Annika appelle d'autres élèves. Mais il ne reste plus que moi.

— Notre dernière recrue est un peu timide ! s'écrie Annika. Allez, Kilter ! Encouragez-le !

Il faut que je fasse quelque chose. M'enfuir. Me cacher. Mourir. Quelque chose. D'ailleurs, j'aurais mieux fait d'être exécuté le premier jour. Comme ça, j'aurais emporté mon secret dans la tombe. J'aurais mille fois préféré ça, plutôt que d'être filmé devant des centaines d'élèves, qui se mettent à frapper des mains et à scander :

— Sea-mus ! Sea-mus ! Sea-mus !

Mes jambes me portent toutes seules sur la scène et m'obligent à m'asseoir dans un fauteuil vide. Je suis seul. Désespérément seul. La scène commence à tourner. Je regarde mes pieds. Plus que quelques secondes avant la révélation. Toute la salle va haleter d'effroi et me lancer des regards horrifiés. J'ai bien suivi le spectacle, et personne n'est mort sur scène, tout à l'heure. Et Annika n'a pas parlé de l'équipe des Assassins. Alors qui va être mon tuteur ?

La scène ralentit. Je ferme les yeux, très fort. Ça y est. Mon heure a sonné. Annika va prononcer le mot. Celui qui commence par un T.

— Applaudissez notre nouveau… T… T…

« Tueur ». Oui, c'est ça, allez, dites-le !

— Tireur d'élite !

Mon cœur s'arrête.

« Tireur d'élite ? »

— Bienvenue chez les Snipers ! s'écrie Annika.

— OUAIIIS !!! rugit la foule.

Je rouvre brusquement les yeux. Et qui se tient devant moi ? L'archer super balèze de tout à l'heure, tout sourire.

— Seamus Hinkle, on va semer une sacrée pagaille, toi et moi.

Chapitre 9

AVERTISSEMENTS : 100
ÉTOILES D'OR : 45

Mon tuteur s'appelle Ike, et il ne perd pas de temps : dès que la lumière du spot revient sur Annika, il m'entraîne dehors. Je dois presque courir pour rester à sa hauteur.

— On devrait peut-être attendre la fin de la cérémonie, non ?

— Et rater une occasion de s'entraîner ? Tu rigoles ?

Il tourne à gauche, vers un petit parking où est garée une voiture de golf. Il saute dedans et me fait signe de m'asseoir à côté de lui. Je m'arrête et jette un coup d'œil derrière moi. Un feu d'artifice est tiré au-dessus du Pavillon des Spectacles. Les couleurs illuminent le ciel gris du matin.

— Eh ben ? me demande Ike. T'as la trouille, ou quoi ?

Oui, j'ai la trouille. Parce que Annika m'a appelé « Tireur d'élite » au lieu de « Tueur » pour éviter de semer la panique parmi les élèves. Parce que Ike porte un anorak noir avec un écusson blanc sur la manche, alors que tous les autres tuteurs ont un anorak argenté avec des emblèmes sur leurs écussons. Parce que Ike a peut-être déjà tué quelqu'un avec son arc et ses flèches, et qu'il va peut-être recommencer. Parce que si je monte dans cette voiture avec lui, personne ne peut dire ce qui va m'arriver et que Papa et Maman ne sauront jamais la vérité.

— T'as déjà conduit une voiture de golf ? interroge-t-il.

— Une fois, avec mon père, sur le parcours de Cloudview.

— Je monte à soixante à l'heure en huit secondes et deux dixièmes.

— Je monte même pas à six à l'heure en dix minutes.

Ike sourit et désigne le siège passager du menton.

Les fusées du feu d'artifice explosent dans notre dos. Bon. Lemon et Annika ne sont pas loin. Mon K-pad est dans mon sac à dos. En cas d'urgence, je pourrai toujours leur envoyer un message.

Alors je grimpe dans la voiture.

Elle est très différente de celle du parcours de golf de Cloudview. Toit ouvrant bombé. Sièges en cuir blanc souple. Tableau de bord en bois verni, dans lequel je vois mon reflet (enfin... celui de mes lèvres qui tremblent, comme chaque fois que j'ai la trouille). Ceinture de sécurité transparente automatique. GPS intégré. Ike effleure l'écran tactile ; une carte en 3D apparaît. Je repère aussitôt le Fastfood et le bâtiment des salles de classe. Ike zoome sur un pré bordé d'arbres, fait pivoter l'image et tapote l'écran.

— Prêt ?

Je hoche la tête.

— *Go !*

Ce n'est pas une voiture : c'est une fusée. J'ai l'impression que les pneus *décollent* carrément du sol. Je n'ose pas vérifier ; je préfère m'accrocher aussi fort que je peux. La voiture jaillit hors du parking, zigzague entre les arbres et les bâtiments et s'éloigne à toute blinde. J'ai envie de sourire à Ike pour lui montrer que ouais, c'est trop cool, mais la vitesse me plaque contre le siège.

La voiture pile au bord du pré indiqué sur le GPS. Je m'attendais à débarquer dans un champ désert, mais une vingtaine de personnes se tiennent en ligne de l'autre côté. Il y a des femmes en jupe et chemisier, et des hommes en pull et pantalon. Ike descend de la voiture et se dirige vers eux. Je le suis, et m'aperçois alors que ces gens sont des mannequins… avec une pomme jaune à la place de la tête.

Je me fige. Ike se retourne.

— Tu veux tirer d'aussi loin ? OK, c'est toi qui choisis.

Je secoue la tête et recule d'un pas.

— Je peux pas faire ça, je murmure.

— C'est juste pour s'entraîner, signale Ike. Le tir à l'arc, c'est quatre-vingt-dix-neuf pour cent de pratique. (En voyant mes yeux écarquillés qui ne lâchent pas les cibles, il ajoute :) Je sais que les pommes, t'as plutôt l'habitude de les lancer, mais Annika m'a dit que maintenant, tu maîtrisais, et que tu pouvais passer aux choses sérieuses. Je te garantis que tu vas t'éclater.

Je lui décoche un regard étonné :

— C'est Annika qui t'a demandé de m'emmener ici ?

— Non.

Je pousse un soupir de soulagement. Qu'est-ce que je suis allé imaginer ? Annika est beaucoup trop chouette pour demander une chose pareille.

— En fait, avoue Ike, elle m'a demandé de te lâcher dans le jardin de Kilter. Mais à mon avis, il vaut mieux commencer à s'entraîner ici. Histoire de limiter les accidents.

Mon cœur arrête de battre un instant. Ike tourne les talons et repart vers les mannequins. Je regarde à gauche. À droite. Il faut que je m'enfuie. Mais pour aller où ? On est au milieu de nulle part. En plus, Ike est armé. Il vaut mieux ne pas le contrarier et faire comme il dit.

Il s'arrête à un mètre cinquante d'un mannequin (une pauvre victime en robe longue violette) et commence à fourbir son arc et ses flèches. Pour faire la conversation, je demande :

— Alors ? C'est quoi le rôle d'un Pagailleur-tuteur ?

— Le même que celui d'un tuteur normal, répond Ike. Aider son élève à progresser.

— Et donc, tu vas m'aider à progresser au tir à l'arc ?

— Entre autres.

Je proteste :

— Mais je sais pas tirer à l'arc. Avant de me faire progresser, il faudrait d'abord que tu m'apprennes.

Voyons ce qu'il va répondre à ça. Il s'arrête de polir son arc et me regarde comme si je voulais faire mon crâneur. Ce qui n'est pas le cas.

— Bien vu, grogne-t-il. Y a qu'un moyen de le savoir.

Il sort de son sac en toile un arc en plastique rouge et une flèche à ventouse. Un jouet pour enfants de cinq ans. On va jouer aux cow-boys et aux indiens, ou quoi ? Je dois faire une drôle de tête, parce que Ike m'explique :

— C'est la panoplie du débutant. Tu auras une meilleure arme quand tu te seras amélioré.

Je n'ai pas envie de m'améliorer. Je n'ai même pas envie d'apprendre. Mais Ike est armé. De près, les flèches argentées accrochées à sa ceinture paraissent encore plus acérées. Alors je prends les jouets en plastique et j'essaye de sourire.

— Plie le bras droit, m'ordonne Ike. Tends le bras gauche. Serre les doigts, et ne bouge plus.

Facile à dire. Je ferme les yeux... et tire.

Paf !

La flèche a dû toucher quelque chose.

— Pas mal, commente Ike.

Je rouvre les yeux. Ma flèche s'est collée à la chaussure noire vernie du mannequin.

— Tu peux faire mieux, déclare Ike. On va arranger ça.

Pendant une heure, j'essaie d'appliquer ses conseils. Je tire sur les mannequins, les uns après les autres. Mes flèches touchent un doigt, un orteil, une épaule, un menton. Avec une pointe en métal, elles n'auraient tué personne. Je ne suis pas très doué, mais Ike se montre étonnamment patient. Il ne s'énerve pas et m'encourage. Si j'étais en cours de gym, à Cloudview, ça pourrait même être assez marrant.

Au bout d'un moment, Ike décide de faire une pause. Il s'éloigne pour répondre à ses k-mails. J'en profite pour regarder les miens. Je vais m'asseoir sur un rocher, à quelques mètres des mannequins, et sors mon K-pad de mon cartable. Tiens ! J'en ai reçu un de Houdini. Objet : « Devoir de maths pour la semaine prochaine ». Je m'apprête à ouvrir le message, quand boum ! Une nuée d'oiseaux s'envole derrière moi en pépiant.

D'instinct, je lâche le K-pad. Dégaine l'arc et la flèche rangés dans mon carquois. Encoche la flèche. Me retourne d'un bloc...

... et tire.

— Génial ! s'époumone Ike.

J'abaisse mon arc et plisse les yeux. Debout à côté de la voiture de golf, Ike a enfilé une espèce de plastron en plastique noir. Quand il pivote d'un quart de tour, j'aperçois ma flèche à ventouse collée en plein milieu de sa poitrine.

— T'as réagi à la seconde où ce pétard a explosé ! s'exclame-t-il. Je savais que tu avais ça en toi !

Et, la flèche toujours collée à la poitrine, il se précipite vers les mannequins en me faisant signe de le suivre. Je cours le rejoindre. Une fois devant la rangée de cibles, je m'apprête à m'excuser. Mais au même moment, Ike ouvre la bouche pour dire quelque chose et un bourdonnement se fait entendre.

Ça me fait d'abord penser à un gros frelon. Soudain, un vélo à moteur biplace émerge des bois, fait un dérapage contrôlé et s'arrête à côté de la voiture de golf. Deux hommes en pantalon kaki, chemise à carreaux et banane rouges descendent du biplace et s'avancent vers nous d'un pas décidé.

Ike tourne le dos aux hommes, décolle la flèche de

sa poitrine, me la fourre entre les mains et enfile sa veste pour cacher le plastron.

— Panique pas, murmure-t-il. Fais comme si tu t'entraînais.

Elle est bien bonne, celle-là. Comme le coup des pommes sur les mannequins. Mais j'obéis. Je vise une cible et tire. Pendant ce temps, Ike salue les deux hommes de la main et leur lance :

— Bonjour !

— Ah, oui ! approuve l'un des hommes sur un ton réjoui. C'est un bon jour ! C'est même un jour *excellent* !

— Surtout pour s'attirer des ennuis, ajoute son collègue.

— On ne fait rien de mal, riposte Ike.

— Vraiment ? demande le premier homme.

— Ouais. Seamus vient de commencer son entraînement. Je suis son tuteur. (Ike baisse la voix avant de poursuivre :) Et il a besoin d'un sérieux coup de main.

Je comprends au quart de tour : je décoche une nouvelle flèche, qui atterrit devant mes pieds avec un petit ploc !

— Je vois ça, confirme le deuxième homme.

— Super, le vélo, commente Ike en se dirigeant vers le bord du pré. Il est neuf ?

Diversion réussie. Les deux hommes sont ravis de lui montrer leur nouveau vélo. Je les laisse discuter tout en continuant à tirer et en prenant soin de ne pas toucher les cibles. Quand Ike revient, le sol est jonché de flèches en plastique rouge.

— Ils ne feraient pas de mal à une mouche, soupire Ike.

Je me retourne pour jeter un coup d'œil : les hommes en vélo ont disparu.

— Qui c'était ?

— Les Bons Samaritains. Les agents de sécurité de Kilter.

— Pourquoi ils sont là ?

— Pour arrêter les Pagailleurs et faire un rapport s'ils se comportent mal. (Ike se penche pour ramasser une poignée de flèches.) C'est pas des vrais chiens de garde ; ils ne mordent pas. Parfois, un ou deux Pagailleurs se font prendre, mais les Bons Samaritains sont faciles à embobiner.

Je ne comprends plus.

— Mais... on n'est pas censés semer la pagaille ?

— Si.

— Alors pourquoi ils veulent nous attraper ?

— Pour qu'on reste vigilants et qu'on s'entraîne à éviter les adultes. (Ike se relève et me tend les flèches.) Si on arrive à échapper aux Bons Samaritains, nos parents ne pourront jamais nous attraper. Les BS nous testent, ce qui nous complique un peu la tâche. Si on se fait prendre, on a interdiction de semer la pagaille pendant un certain temps, et donc, on ne peut pas gagner d'avertissements, ni de crédits. Certains Pagailleurs ne s'en remettent jamais.

— Pourquoi ils sont venus nous voir ?

C'est vrai : je tire sur des bonshommes à tête de pomme avec un arc en plastique. Je ne fais rien de mal, si ?

— Ils t'ont à l'œil, réplique Ike avec un grand sourire. Parce que, contrairement à ce que je leur ai dit, tu vas leur en mettre plein la vue !

À l'entendre, c'est une bonne nouvelle. Une chose dont je devrais être fier.

L'ennui, me dis-je en encochant une flèche en plastique, c'est que si cette ventouse avait été une pointe en métal, j'aurais tué Ike.

Chapitre 10

AVERTISSEMENTS : 110
ÉTOILES D'OR : 45

Je m'entraîne jusqu'au coucher du soleil. Ike trouve que j'ai beaucoup progressé. Il est si content qu'il me donne dix avertissements.

— Va t'acheter quelque chose à l'Arsenal, me dit-il. Tu l'as bien mérité.

J'ai surtout mérité un peu de repos, alors je vais m'enfermer dans ma chambre. Lemon n'est pas encore rentré. Ça tombe bien : j'ai envie d'être seul. Et je peux en profiter pour téléphoner.

— Standard des Fayots, bonjour ! Que puis-je faire pour vous ?

— Je voudrais parler à la standardiste, s'il vous plaît.

— C'est elle-même.

— Non, pas à la standardiste des Fayots, la standardiste de…

La porte s'ouvre. Lemon entre dans la chambre, laisse tomber son cartable par terre et se jette à plat ventre sur son lit. Je crois qu'il ne m'a pas vu, mais par précaution, je couvre de ma main le combiné :

— Attendez, je sors.

— Il y a un problème ? me demande la standardiste.

Dans le couloir, un groupe de Pagailleurs (des deuxième ou troisième année) se mitraillent de boulettes de papier. Trop dangereux. Si je reste là, je risque de m'en recevoir une dans la figure ou de me faire surprendre en train de téléphoner. Je sors du bâtiment en courant. Une fois dans le jardin, je reprends :

— J'aimerais appeler mes parents, s'il vous plaît. Eliot et Judith Hinkle, au 518-555-98-97.

— Quelle bonne idée ! me répond la femme. Je suis sûre qu'ils seront très touchés.

Puis un long silence. J'attends la tonalité. La standardiste va me mettre en relation avec mes parents, Papa va décrocher… Tiens ! Non, c'est Maman, qui demande :

— Autre chose ?

— Maman ?

— Rodolphe ?

— Quoi ?

— Comment, vous n'êtes pas Rodolphe, le chihuahua chauve à trois pattes ?

— N… non.

— Et moi, je ne suis pas votre mère, rétorque la standardiste.

— Pardon. Je croyais que vous m'aviez mis en relation avec mes parents.

— Qu'est-ce qui vous fait penser que je vais le faire ?

— Vous ne pouvez pas me les passer ?

— Non.

— Mais… il n'y a qu'un seul téléphone avec un seul bouton. Alors comment je peux les appeler ?

— Vous ne pouvez pas.

— Houdini a dit que si.

— Et vous l'avez cru ? ricane la standardiste. Vous verrez vos parents le Jour des Parents, dans quelques semaines. Excusez-moi : le standard s'affole. Ça clignote de partout. Merci d'avoir appelé le Standard des Fayots !

Et elle raccroche.

Raté. Je n'ai plus qu'à revenir dans ma chambre. Je tourne les talons… et j'entends un drôle de bruit. Comme une bourrasque qui siffle entre les branches d'un arbre, mais il n'y a pas de vent aujourd'hui. Le sifflement se transforme en gémissement. Puis en vagissement. Il y a quelqu'un qui pleure, là-bas, au fond du jardin. Même si ce n'est pas mon problème, je me dirige vers le bruit malgré moi, et accélère quand les pleurs redoublent d'intensité.

Très vite, je trouve le pleureur. C'est Carter Montgomery, le plus petit de la classe (après moi). Il est debout à côté d'une fontaine en pierre éclairée par un petit spot.

Je me cache derrière un arbre et l'observe en retenant mon souffle. Pourquoi pleure-t-il ? Il ne saigne pas, n'est pas attaqué par d'autres Pagailleurs. Qu'est-ce que je dois faire ? Lui demander ce qui ne va pas ? Lui proposer mon aide ? Appeler le Standard des Fayots pour signaler qu'un Pagailleur va mal ?

Carter tombe à genoux dans l'herbe. Baisse la tête. Frappe le sol avec ses poings. Et se met à pleurer. Depuis ma cachette, je vois ses épaules secouées par les sanglots. Soudain, une voix s'écrie :

— Bravo !

Je sursaute. Carter se redresse. Annika sort de l'ombre en applaudissant, suivie de près par M. Tempest, qui marche le dos courbé et le menton rentré.

— Quelle performance ! s'exclame Annika. C'était bluffant !

Carter se relève et essuie ses larmes.

— Tu n'étais pas obligé de crier si fort, lui fait remarquer Annika. Ni de tomber à genoux. Mais c'était très convaincant. (Elle se tourne vers le tuteur de Carter, qui assistait à la scène avec trois autres Comédiens.) Beau travail, Mark.

Mark la remercie d'une courbette. Carter rayonne. J'ai trouvé ce numéro très bizarre. Je ne sais pas pourquoi, mais j'aurais bien voulu qu'Annika me voie tirer à l'arc, tout à l'heure.

Une voix s'élève derrière moi :

— Alors comme ça, tes parents te manquent ?

Je me retourne. Élinor – vous savez, la jolie rousse – est assise en tailleur sur un banc, sous un grand lampadaire allumé, un livre ouvert posé en équilibre sur ses genoux.

— Remarque : ça ne me dérange pas, poursuit-elle.

Je jette un coup d'œil en direction de la fontaine : un autre Pagailleur essaie de faire semblant de pleurer, sous le regard de son équipe et d'Annika. Je me précipite vers Élinor avant qu'ils l'entendent... ou qu'ils me voient.

— Ils ne me manquent pas. Qu'est-ce qui te fait croire ça ?

Elle lorgne ma main en haussant les sourcils. Je baisse les yeux : je l'avais oublié, je tiens toujours le téléphone noir.

Élinor ferme son livre, se lève et annonce :

— Je vais faire un tour. Tu m'accompagnes ?

Je la regarde s'éloigner dans l'allée. J'hésite : ai-je vraiment envie de la suivre ? Et elle ?

Dans l'herbe de l'autre côté du banc, deux Pagailleurs de troisième année jouent au pistolet laser. L'un d'eux prend une voix de bébé et chouine :

— Où qu'il est, le p'tit chouchou à sa maman ?

Et son copain pleurniche :

— Viens me chercher, papa ! Steuplaît ! Ouiiin ! Ze veux sucette et doudou !

Ils ont surpris ma conversation avec la standardiste. Plus qu'une solution : la fuite. Je m'élance sur le chemin et rattrape Élinor.

— Je m'appelle Élinor, me dit-elle.

— Je sais.

Elle lève un sourcil étonné. Les joues cramoisies, j'explique :

— J'ai entendu ton nom pendant la cérémonie ce matin. Et aussi, l'autre jour, en classe.

— Ah oui, lâche-t-elle avant de détourner le regard.

Elle effleure le ruban en satin vert noué au bout de sa tresse. J'essaie de briser la glace :

— Houdini m'a piqué mes boutons de manchettes

en forme de robot. Je sais pas comment il a fait : ils étaient accrochés sur les manches de ma veste. En tout cas, il est vachement fort.

Élinor sourit.

— Pourquoi tu souris ? je lui demande en l'imitant.

— Pour rien.

— Allez ! J'ai dit quelque chose de marrant ?

Elle s'arrête et se tourne vers moi.

— Tu parles super vite.

— Et alors ?

— On dirait que t'es nerveux… T'es nerveux ?

Moi ? Nooon ! J'ai tué une prof. On m'a embarqué de force dans un camp d'entraînement de pagailleurs professionnels top secret. Mon camarade de chambre est un pyromane. Je suis tout seul avec une inconnue qui a fait je-ne-sais-quoi à je-ne-sais-qui. Et la nuit est en train de tomber. Pourquoi donc serais-je nerveux ?

Élinor se remet à marcher.

— T'es proche de tes parents ?

Je cours la rejoindre.

— Oh, oui. Très proche.

Sa question me fait tiquer. Proche comment, en fait ? Bien sûr, ils sont toujours là pour moi, mais… ce sont mes parents. Parfois, avec Papa, on fait quelques passes de football, on regarde un film, on commente un match des Yankees ou des Giants. Maman, elle, vérifie mes devoirs, m'ordonne de ranger ma chambre et me répète qu'elle n'est pas contente. Quand on discute, c'est elle qui pose les questions. Non : elle me *bombarde* de questions. Comment ça s'est passé à l'école. Est-ce que j'ai eu des bonnes notes. Est-ce que j'ai beaucoup de devoirs pour le lendemain. Et moi, j'ai deux secondes chrono pour y répondre. Mais tout ça, c'est normal, non ? Ce sont mes parents, pas mes copains.

Je demande à Élinor :

— Et toi ?

Pour toute réponse, elle m'attrape par le bras et m'entraîne de l'autre côté d'un épais rideau de branches de saule pleureur.

— Hé ! À quoi tu j...

Je tente de me dégager mais elle me plaque la main sur la bouche. J'envisage d'abord de lui mordre les doigts pour l'obliger à me lâcher, mais une odeur délicieuse m'arrête : les mains d'Élinor sentent bon la framboise. Je n'ai plus envie de m'échapper.

— Ne bouge plus, murmure-t-elle, les yeux plantés dans les miens.

Une fois qu'elle est sûre que je ne vais pas m'enfuir en hurlant, elle enlève sa main de ma bouche et regarde à travers le rideau de branches. Je me penche par-dessus son épaule. À quelques mètres de là, quatre Bons Samaritains, encerclent un petit étang. Soudain, deux d'entre eux sautent dans l'eau (avec leur banane, et tout). Pendant ce temps, les deux autres sortent des tuyaux et des bidons cachés derrière un buisson.

— Ils sont occupés, chuchote Élinor. Viens !

Et elle retraverse le rideau de branches. Les deux BS ressortent de l'eau, suivis d'un Pagailleur en maillot de bain équipé d'un masque de plongée et d'un tuba. Autour de la taille, il a fixé les tuyaux qui plongent dans les bidons. À mon avis, il était en train de vider l'étang, et les BS l'ont attrapé.

— Bon, tu veux téléphoner à tes parents, oui ou non ? s'impatiente Élinor.

— Oui.

— Alors suis-moi. Je sais où il y a un téléphone. Un vrai, avec douze boutons.

Je me relève d'un bond.

— Ah oui ? Où ça ?

Élinor me décoche un sourire et se faufile à travers les branches.

Je la suis, le cœur battant. Je ne cours pas : je vole. Mes pieds touchent à peine le gazon, je traverse le rideau de feuilles, zigzague entre les arbres et les rochers. Élinor me distance. Elle est rapide. Il fait de plus en plus sombre. Ça y est, je ne la vois plus : elle s'est fondue dans l'obscurité.

Je finis par la rattraper au bord d'une rivière. Elle paraît hésiter, mais quand elle m'aperçoit, elle saute sur une pierre pas plus grosse que mon poing. Puis sur une autre. Et encore une autre. Elle est super agile. Légère comme une libellule. Aussi habile qu'une fée jouant à la marelle. Elle atterrit sur l'autre rive et se remet à courir sans se retourner.

Tant mieux. Parce que je bondis sur la pierre… et tombe la tête la première dans la rivière.

J'essuie la vase qui me rentre dans les yeux avant de crier :

— J'arrive !

— Quand tu seras de l'autre côté, tourne à gauche ! me répond Élinor. Va jusqu'au champ de tournesols et cherche le bunker sur ta droite ! Le téléphone est à l'intérieur !

À sa voix, je comprends qu'elle continue à courir.

Je mets un bon moment à traverser la rivière. Il faut dire qu'en tout, je me suis étalé neuf fois. Toutefois je parviens sur l'autre berge – c'est l'essentiel.

Mais je ne vois ni tournesols, ni bunker, ni téléphone.

Et surtout, Élinor a disparu.

Chapitre 11

AVERTISSEMENTS : 130
ÉTOILES D'OR : 60

Stooop !

Je me réveille en sursaut.

— À terre !

J'attrape l'extincteur posé sur ma table de nuit.

— Roul…

J'appuie sur la gâchette.

Lemon recule en titubant, cligne des paupières et secoue la tête. Les gouttelettes d'eau s'envolent dans la pièce. Il soupire :

— Oh, non ! Encore ?

— Encore.

Je me lève pour mieux viser la poubelle. Les flammes disparaissent en crépitant sous la mousse blanche de l'extincteur. Je rassure mon copain :

— T'inquiète. Cette fois, t'as juste brûlé des vieux mouchoirs et des papiers de bonbons.

Lemon se laisse tomber sur son lit, pose les coudes sur ses genoux et se prend la tête entre les mains :

— Oh, la vache ! Je vais finir par te tuer, gémit-il.

Je croyais qu'il m'en voudrait d'être intervenu. Mais je comprends qu'il est super inquiet.

— L'Extincteur de Poche de Kilter a une portée de trois mètres. Depuis mon lit, je peux éteindre n'importe quel feu allumé dans la chambre. Tant que tu crieras dans ton sommeil pour me réveiller, on n'aura rien à craindre.

Au ralenti, Lemon relève la tête. L'eau coule le long de son front et forme une goutte au bout de son nez. Il articule :

— Le *quoi* ?

Je lui tends la petite bombe argentée.

— L'Extincteur de Poche de Kilter. Je l'ai acheté pour que tu ne fasses pas cramer la chambre.

— Où t'as trouvé ça ?

— À l'Arsenal. J'y suis allé hier soir. Ils venaient de se faire livrer.

— Et... tu l'as acheté pour moi ?

— Je l'ai acheté pour *nous*. Comme ça, on dormira un peu plus tranquilles.

Lemon tourne la bombe entre ses mains et caresse la surface brillante avec son pouce.

— Tu ferais mieux d'économiser tes crédits pour te payer un meilleur arc, dit-il.

— Si je suis mort, un meilleur arc ne me servira à rien.

J'ai dit ça pour faire baisser la pression. Et ça marche :

je vois le coin de la bouche de Lemon se relever. Il me rend l'extincteur et annonce :

— Je vais te donner quelque chose en échange.

— T'es pas obligé.

— Si. (Il ouvre son placard et en sort une glacière blanche.) Je sais faire des burritos trop mortels. T'en veux un ?

Je m'apprête à répondre « non merci », mais je me mords la langue. Lemon fait des efforts pour qu'on devienne copains. Alors je lance :

— Avec plaisir !

Pendant qu'il rallume un feu (entièrement sous contrôle), je regarde mes k-mails. J'ai un nouveau message :

> **À :** s.hinkle@kilter.org
> **DE :** arsenal@kilter.org
> **OBJET :** Des crédits à flamber ?
>
> You-hou, Seamus !
>
> Merci d'avoir acheté l'Extincteur de Poche de Kilter ! Nous espérons qu'il te donne entière satisfaction, et qu'il t'aide à semer une pagaille monstre ! Mais qui dit « extincteur » dit « allume-feu ». Alors nous te recommandons le Super-Briquet de Kilter. Avec ça, tu vas mettre le feu au dance floor… et partout ailleurs !

Je clique sur l'appareil photo pour lancer la vidéo. Un garçon avec un sourire jusqu'aux oreilles montre à la caméra deux espèces de dés à coudre. Il en place un sur le pouce, l'autre sur le majeur, et il claque des doigts.

Une étincelle argentée jaillit de sa main. Ce truc plairait à Lemon. Il faudra que je pense à lui en parler. J'arrête la vidéo et continue à lire.

> Nous t'avons crédité les avertissements de la semaine, plus ceux que tu as gagnés en faisant tes devoirs. Malheureusement, tu as récolté des étoiles d'or en contactant le Standard des Fayots. Mais pas de panique ! Tu es encore dans la course. Tu as maintenant 130 avertissements et 60 étoiles d'or, ce qui te fait 70 crédits, moins les 20 crédits dépensés pour acheter l'Extincteur de Poche de Kilter. Il te reste donc... 50 crédits ! Et le Super-Briquet de Kilter est au prix exceptionnel de 30 crédits ! C'est pas génial, ça ?
>
> Alors à très vite !
>
> À ton service,
>
> L'Équipe de l'Arsenal.

Je ferme le message. Comme Lemon n'a pas fini de cuisiner, je vais prendre une douche et m'habiller. Quand je ressors de la salle de bains, il fait jour et le petit déj est prêt.

Lemon ne mentait pas : ses burritos sont vraiment trop mortels. Il les a garnis d'œufs, de fromage, et de trois sortes de haricots. Je ne peux pas résister à l'envie d'en prendre un deuxième.

En l'observant casser deux œufs d'un coup, je l'interroge :

— Tu cuisines, chez toi ?

— Ouais. On a une vieille gazinière. Quand je cuisine, j'ai le droit de me servir des allumettes. C'est le seul moment où je joue avec le feu sans faire flipper mes parents.

Ça me fait penser à ce que m'a demandé Élinor, hier soir.

— T'es proche de tes parents, Lemon ?

Mon copain soulève la poêle et retourne les œufs d'un coup de spatule.

— « Proche » ? répète-t-il. C'est-à-dire ?

— Vous mangez ensemble ? Vous discutez ?

— Oui. Tout le temps. On parle en mangeant, en regardant la télé, en marchant… (Il vide une boîte de haricots dans la poêle.) Mes parents s'arrêtent jamais de parler.

C'est sans doute pour ça que Lemon n'est pas très bavard, il a eu sa dose de discussions avec ses parents et en a marre de toutes mes questions. Je me tais et le regarde finir de préparer le burrito.

Je l'avale jusqu'à la dernière miette. Puis Lemon ouvre son K-pad et fronce les sourcils :

— Oh, la vache ! On a cours de SVT au CDI dans dix minutes !

Je me lèche les doigts en demandant :

— Et alors ?

— Alors le CDI est à l'autre bout du collège. (Il jette son K-pad sur le lit.) Grouille !

Direction : le CDI. Et au trot. Enfin… Lemon court, et moi, je me traîne, l'estomac plombé par les deux burritos. J'ai dû prendre au moins trois kilos. Devant le CDI, je m'arrête pour reprendre mon souffle et regarde par la double porte vitrée. J'ai un point de côté. Les burritos me remontent dans la gorge.

Lemon et les autres se sont déjà installés à l'intérieur ;

certains à des tables, d'autres dans des fauteuils ou sur des canapés. Ils sont tous en train de lire ou d'écrire. Je repère quelques troisième et quatrième année qui travaillent, mais pas de prof, ni de documentaliste. Les élèves sont super sages. Très étonnant, pour des Pagailleurs laissés sans surveillance. Et puis, j'aperçois le panneau à affichage numérique au-dessus de la porte d'entrée :

ATTENTION ! ZONE DE SILENCE ! PAR RESPECT POUR LES AUTRES PAGAILLEURS, CHUT !

Je prends quelques secondes pour récupérer avant d'entrer dans le CDI. Affalé dans un fauteuil au fond de la pièce, Lemon somnole déjà. Je me dirige vers mon seul autre copain : Abraham Hansen. Le Tagueur.

Je lui tape sur l'épaule :

— Salut, tu pourrais...

— Chut !

Je lève les yeux. À la table d'à côté, une fille me fait « non » de la tête. J'articule en silence : « Désolé ». La fille se remet à lire. Je me tourne vers Abe, qui tient un bloc-notes sur lequel il a tracé des cases. La page ressemble à une planche de BD. Dans la première case, il a dessiné trois bonshommes en bâtons qui lisent autour d'une table. Dans la deuxième, un personnage plus petit entre dans la pièce avec un sourire en coin. Dans la troisième case, le petit bonhomme est debout sur la table, le menton levé, la bouche ouverte, les poings collés à la poitrine. Au-dessus de sa tête, il y a une bulle en forme de nuage coloriée en gris, dans laquelle Abe a écrit : « BURRRRRP ! » Dans la quatrième case, les bonshommes assis à la table s'enfuient, dégoûtés.

Abe pose le bloc-notes sur la table, écrit « + 5 avertissements » au-dessus de la bulle et tourne la page.

— Je comprends pas ce que vous f...

— Chut !

Je repose les yeux sur le bloc-notes. Abe a dessiné un autre gag. C'est exactement le même que le précédent, sauf que la bulle n'est pas dirigée vers la bouche du bonhomme, mais vers ses fesses. Et à côté du nuage gris, Abe a écrit « + 10 avertissements ».

J'ai l'impression d'avoir basculé dans la quatrième dimension.

Tout à coup, un roulement de tonnerre brise le silence. Je sursaute. Abe se bouche les oreilles. La fille de la table d'à côté fait une grimace écœurée. Le bruit, infect, paraît durer une éternité.

Enfin, le bruit s'arrête. Des ricanements et des chuchotements s'élèvent dans la salle. Tout le monde se retourne pour chercher le ou la coupable.

C'est à ce moment que je remarque Samara, notre prof de SVT. Elle se tient au fond de la pièce, près d'une grande étagère où est inscrit : « AGITATEURS HISTORIQUES CÉLÈBRES ». Mon regard croise le sien. Du menton, elle désigne la porte derrière elle, qu'elle ouvre et franchit sans dire un mot.

Je comprends qu'elle veut que je la suive.

J'entre dans un petit bureau et referme la porte.

— Tu es en retard, grogne Samara.

— Je sais. Mon camarade de chambre a eu un problème. Le temps de prendre le petit déjeuner et de...

— Ça suffit, m'interrompt la prof de SVT en levant la main. D'habitude, je ne tolère aucun retard. Mais puisque tu es le chouchou d'Annika, je vais te faire rattraper le cours. Considère ça comme une faveur.

Le mot « chouchou » me dérange un peu, mais je dis :

— Merci.

Samara soulève la jambe gauche de son jean et dévoile un ballon argenté fixé sous son genou. Avec le pied droit, elle donne un petit coup de talon dans le ballon.

Le même bruit que tout à l'heure (en moins fort et en moins long) retentit dans le bureau.

— C'est un coussin péteur ?

La prof remet son jean en place et explique :

— Péter ou roter, c'est naturel. Ça arrive à tout le monde – aux enfants, comme aux adultes. Certains se forcent, d'autres pas. Utilisés à bon escient, les bruits digestifs sont des armes redoutables face aux parents un peu trop sévères. Ils sont dix fois plus efficaces qu'une crise de larmes ou qu'une bonne colère. Ça fait perdre aux adultes tous leurs moyens. (Elle lève les yeux vers moi avant d'ajouter :) Le devoir d'aujourd'hui : gagner vingt avertissements. Un rot t'en fera gagner cinq. Un p…

— … m'en fera gagner dix.

Je l'ai coupée, parce que je n'ai pas envie qu'elle prononce ce mot-là. Ça me rend encore plus mal à l'aise que de le faire en vrai. Je proteste :

— Mais je n'ai pas de coussin péteur.

— Ça s'appelle un Flatuleur, rectifie Samara. Je suis la seule à en avoir un.

J'ouvre des yeux grands comme des soucoupes.

— Vous voulez dire qu'il faut qu'on… enfin… que je… devant tout le monde ?

— Fais semblant, si tu préfères. L'important, c'est que personne ne sache que c'est toi.

Et elle retourne au CDI. Je la suis en traînant les pieds. Je referme la porte derrière moi et me force à relever la tête.

Allez. Courage. Pour moi, ce devoir est un défi, très gênant certes, mais j'ai envie de faire bonne impression. Samara est prof ; on a pris un mauvais départ, elle et moi ; je dois me rattraper. Dans un coin de la pièce, je repère une chaise longue que je tourne face au mur. J'enjambe l'accoudoir et m'y installe.

Mon supplice dure quarante-cinq minutes. J'essaie de roter. De toutes mes forces. Je vous jure que si. J'inspire profondément, je sors la langue, j'imagine que je bois des litres de Coca-Cola... Je sens que ça monte... monte... monte... Mais chaque fois, quelqu'un d'autre me déconcentre en le faisant à ma place. Et chaque fois, il me faut plusieurs minutes pour réessayer. Maintenant, bien sûr, le cours est terminé.

Je me lève, à la fois déçu et soulagé. J'aperçois Lemon, en train de discuter à mi-voix avec Abe et Gabby. Je me dirige vers eux, quand soudain je me fige. Les burritos remuent dans mon ventre. Je retiens ma respiration. Mon estomac se retourne. Se tord. Se contracte. Gargouille. J'appuie les mains dessus. J'ai les joues toutes rouges. Je tourne la tête à gauche. À droite. Il faut que j'aille aux toilettes. Problème : le CDI n'a que trois portes, une qui mène au bureau, une aux archives et la dernière débouche dans le couloir. Le temps que j'arrive aux toilettes, il sera trop tard.

Il reste à peu près douze élèves dans le CDI. Je passe devant eux avec un sourire forcé. Pourvu qu'ils ne me regardent pas et n'entendent pas mon ventre gargouiller, tel un crapaud en colère. Je marche lentement, ce sourire aux lèvres. Tout va bien.

Euh… non. Ça ne va pas. Mon ventre est sur le point d'exploser. Surtout, ne pas courir, sinon, ce sera la fin. Je me dirige à pas comptés vers la salle des archives, ouvre la porte et me rue à l'intérieur. La pièce, assez petite, est remplie d'étagères en métal croulant sous les livres et les classeurs. Je dois m'éloigner le plus possible de la porte. Je me précipite au fond de la salle et pense très fort à la chanson de Timon et Pumba dans *Le Roi lion* :

« Disgrâce infâme, inonde mon âme !

Je déclenche une tempête chaque fois que je… »

Mon corps termine la phrase. Je lâche un bruit qui fait trembler le mur sur lequel je m'appuie. Et puis, je réalise que c'est moi qui tremble. De fatigue et de peur.

J'attends quelques secondes, histoire de m'assurer que la tempête est passée, puis je pousse un soupir de soulagement et reviens vers la porte.

Il y a un problème : quelqu'un se tient devant.

Samara. Les mains plaquées sur le nez et sur la bouche. Les yeux écarquillés. Les jambes écartées. Les fesses collées à la porte. À ses pieds, il y a une sacoche ouverte, et un gobelet de café renversé.

— Félicitations, Seamus Hinkle, hoquète-t-elle. Annika ne s'est peut-être pas trompée sur toi.

Chapitre 12

AVERTISSEMENTS : 250
ÉTOILES D'OR : 60

À : parsippany@cloudview.edu
DE : s.hinkle@kilter.org
OBJET : Encore un prof KO !

Chère Mademoiselle Parsippany,

J'ai recommencé. L'autre jour, après le cours de SVT, j'ai fait quelque chose de mal. Et devant une prof, en plus. Elle est devenue toute rouge. Elle ne bougeait plus. J'ai même cru qu'elle allait pleurer. Je ne sais pas COMMENT j'ai pu lâcher un truc pareil (et je n'ai aucune envie de le savoir), mais je me sens TOUJOURS aussi mal. Même au bout d'une semaine.

C'était un accident. Comme le coup de la pomme, et celui des ballons. J'ai bien essayé de me rattraper.

Depuis, je me comporte en élève modèle, mais... ici, les cours sont trop bizarres. Et ce qu'on nous apprend, aussi.

En musique, par exemple. À Cloudview, on écoute du Beethoven, on compte les mesures et on joue « Frère Jacques » sur le synthé de M. O'Mally. Ici, on s'entraîne à siffler sans remuer les lèvres... parfois pendant deux heures !

La dernière fois, en cours de gym, on a dû galoper dans tout le collège pendant que d'autres élèves (qui jouaient le rôle des parents) nous couraient après. En langues, on nous apprend le « françouillais ». C'est comme le javanais, mais au lieu d'intercaler dans les mots les syllabes « va » ou « av », on ajoute « ouille » à la fin des mots. Je ne vous raconte pas ce que ça donne avec « arc » ou « sac »... En arts plastiques, on doit faire des dessins horribles, qui donneraient des cauchemars à nos parents pendant des semaines (c'est le but, d'ailleurs).

Je ne comprends toujours pas à quoi tout ça va me servir quand je quitterai l'académie Kilter, mais je joue le jeu. Tout ce que je veux, c'est faire plaisir aux profs et rentrer chez moi à la fin du trimestre. Et aussi, convaincre mes parents que je suis redevenu sage. Dans quelques années, quand je leur parlerai de Kilter, je dirai : « Vous vous rappelez ce drôle de collège, pas très loin du pôle Nord, où je suis allé quand j'avais douze ans ? »

Et tout le monde rigolera.

En tout cas, j'espère.

À bientôt

Seamus Hinkle.

— T'écris une lettre d'amour ?

Je sursaute. Le K-pad m'échappe des mains. Ike le rattrape au vol.

— Qui est ton amoureuse ? m'interroge-t-il avec un grand sourire.

J'imagine la tête qu'il ferait si je lui avouais que j'écrivais un e-mail à ma prof de maths remplaçante, qu'elle ne recevra jamais parce qu'elle est morte.

Ça ne ferait que lui rappeler que je suis un assassin. Tout l'inverse de ce que je cherche.

Du coup, je dis le premier nom qui me vient à l'esprit :

— Élinor.

Ike frémit.

— Mlle Frigidaire ? J'espère que t'as emporté ta combinaison de ski.

Trouver un autre sujet. Vite. N'importe quoi, plutôt que de parler de ce que je ressens (ou pas) pour la plus jolie fille de la classe.

Je désigne le long étui argenté accroché à la ceinture d'Ike.

— Qu'est-ce que c'est ?

Mon tuteur détache l'étui et me le tend.

— Un cadeau pour toi.

— Pour moi ? En quel honneur ?

— Juste parce que tu es comme tu es.

C'est une raison bizarre. Mais je ne veux pas être impoli, alors je prends l'étui, enlève le scratch du milieu et soulève le tissu rigide. Mon sourire se fige. Dans l'étui, il y a une arme en acier brillant, au canon effilé et à la gâchette en forme de croissant de lune. Mon visage se reflète dans le métal. Je suis blanc comme un cachet d'aspirine.

Je serre les doigts très fort autour du fusil. J'ai très envie de le rendre à Ike, mais un cadeau, ça ne se refuse pas.

Ike s'agenouille à côté de moi en précisant :

— C'est le Barbouilleur 1000 de Kilter. Le meilleur fusil de paintball au monde. Une affaire.

Ouf. Ce n'est pas un vrai fusil. Je décrispe légèrement les doigts.

— Où sont passés l'arc et les flèches à ventouse ?

— Je les ai rangés dans le coffre à jouets.

— Déjà ? Après un seul entraînement ?

— T'as fait tes preuves. En plus, un tireur d'élite digne de ce nom doit avoir plusieurs armes dans son arsenal. Si tu ne t'entraînais qu'au tir à l'arc, tu serais un archer, point barre. Un tireur d'élite doit savoir tirer au pistolet, à l'arbalète, au fusil...

Ike s'emballe. J'ai l'impression d'entendre Papa le matin de Noël, quand il me donne son cadeau – le seul qu'il ait choisi sans l'aide de Maman. Je vous l'ai dit : Papa est comptable, du coup, il m'offre des fournitures de bureau. Je n'ai pas vraiment besoin de paquets d'agrafes et d'élastiques en caoutchouc, mais puisque ça vient de Papa, je les adore.

Pour le fusil, c'est pareil. Je tapote la crosse en plastique et murmure :

— Génial. Merci.

— Ne me remercie pas avant de l'avoir essayé, insiste Ike.

Mes doigts se crispent de nouveau.

— Quoi, ici, là, tout de suite ?

— Pourquoi ? Tu veux t'entraîner ailleurs ?

Oui. Par exemple, dans le pré aux mannequins. Ou dans ma chambre vide. Ou au Fastfood, parce que ça m'étonnerait qu'il y ait quelqu'un là bas à 14 heures. Ou alors, dans un endroit désert, à minuit. Ça m'éviterait de faire des blessés.

N'importe où, sauf dans le Pavillon des Spectacles pendant la réunion Pagailleurs-première année/Pagailleurs-tuteurs.

J'observe les élèves depuis la régie qui surplombe la scène et bredouille :

— Je... je sais pas... Ils n'ont pas l'air de s'amuser...

Ike se penche en avant, regarde par la vitre et raisonne :

— Ils bavardent, c'est tout. Les Pagailleurs-tuteurs racontent leurs exploits aux première année. (Il se retourne vers moi.) Quand on suit des cours à Kilter, on a tendance à prendre un peu la grosse tête. Essaie de rester modeste.

Ça, c'est fastoche.

Je demande :

— C'est pour ça que tu m'as donné rendez-vous ici ? Parce que tu n'aimes pas te vanter ?

J'ai remarqué qu'Ike ne se mêlait pas aux autres. Il est parti avant la fin de la Cérémonie des Affectations, porte un anorak noir alors que tous les autres en ont un argenté, l'écusson cousu sur sa manche gauche est tout blanc, il n'a pas les lettres « AK » brodées sur son anorak... Il sort du lot... par conséquent, moi aussi. Tous mes copains de première année ont reçu un anorak, pas moi. Je ne m'en plains pas : je ne mérite pas de traitement de faveur. Mais ça m'intrigue un peu.

— Je suis monté à la régie parce que je suis différent, assène Ike. Comme toi.

J'ouvre de grands yeux. Est-ce que ça veut dire que… que comme moi, il a… ?

— Techniquement, on fait partie de l'équipe des Snipers, explique-t-il. Les Snipers sèment la pagaille avec des armes. Chaque membre de l'équipe maîtrise une seule arme. Moi, je les maîtrise toutes. Et quand ton entraînement sera terminé, tu les maîtriseras toutes, toi aussi.

J'ai enfin mon explication. Et à moins qu'Ike n'ait commis un crime qu'Annika ignore, il n'y a qu'un seul assassin à Kilter.

Moi.

— On y va ? demande Ike.

Je n'ai pas bougé depuis mon arrivée à la régie, il y a vingt minutes. Je m'étais assis sous la vitre, dos au mur, pour qu'on ne me voie pas. Je me mets à genoux, me retourne, me soulève de quelques centimètres et jette un coup d'œil vers la scène, où les Pagailleurs sont rassemblés par équipes. Les première année écoutent leurs tuteurs avec attention. De temps en temps, ils rient ou applaudissent.

Ike me donne un petit coup de coude et me fait signe de tendre la main, paume vers le ciel. J'obéis. Il y dépose cinq petites capsules argentées, qui ne ressemblent pas à des balles de paintball. On dirait plutôt des *vraies* balles.

— Elles sont un peu lourdes, pour des balles de paintball, je chuchote.

— Balles en mousse à coque métallique, me répond

Ike sur le même ton. Conçues pour une vitesse optimale. La coque se désintègre quand on tire.

J'ai un peu de mal à le croire. Ça doit se voir sur ma figure, parce que Ike s'accroupit devant moi, descend la fermeture Éclair de son anorak, se frappe la poitrine et m'ordonne :

— Vas-y. Tire. Et applique-toi.

Mon regard croise le sien.

— Tu délires ?

— Tire sur moi ! répète Ike. Comme ça, tu verras que c'est pas des vraies balles et que tu risques pas de blesser quelqu'un !

— Mais... mais t'es à cinquante centimètres de moi !

— Justement. Si ta balle me tue pas, elle tuera personne.

Logique. Je trouve quand même que c'est une très mauvaise idée.

— Je peux te tirer dans le pied ? Ou alors dans la...

Soit tu tires dans la poitrine, soit tu tires pas, Seamus. Ça sert à rien de faire les choses à moitié.

Ike a vraiment l'air sûr de lui. Je sors le fusil de l'étui, j'ouvre le compartiment des munitions et y glisse les cinq balles. Je lève mon arme, vise sa poitrine et ferme les yeux :

— Je t'aurai prévenu.

Je tire.

Poum !

Je rouvre les yeux... et manque de tomber à la renverse.

Ike m'a menti. Il m'a donné des vraies balles, parce qu'il saigne. Un rond rouge foncé colore son tee-shirt, et grossit... grossit sans s'arrêter.

Je me précipite vers lui, mais il désigne un petit objet sur le sol en ricanant :

— C'est de la peinture.

Je regarde la coque en métal déchiquetée qui est tombée à terre. Mes pieds sont cloués au sol.

— T'aurais pu choisir une autre couleur, je grogne, les sourcils froncés. J'ai cru que c'était du sang.

— C'est fait exprès. Le rouge se voit de loin, et ça fait baliser les gens. (Il se remet à genoux à côté de moi avant d'ajouter :) Tu gagneras des avertissements en fonction de la partie du corps touchée. Cinq pour les bras et les jambes, dix pour les mains et les pieds, quinze pour le dos et la poitrine, et vingt pour la tête. Tu dois obtenir un total de cent. Pigé ?

— Oui. Mais la fenêtre va poser un problème.

Je croyais Ike plus malin que ça. Je ne vois pas comment atteindre une cible en tirant à travers une vitre. J'ai peut-être une chance d'éviter le carnage. Je commence à me détendre…

… jusqu'à ce que mes muscles se contractent de nouveau : Ike vient d'appuyer sur un bouton, faisant disparaître la vitre à l'intérieur du mur en béton.

— Autre chose ? demande-t-il.

Plus moyen de reculer. Je secoue la tête.

— On va bien se marrer, se réjouit Ike.

C'est parti. Inspirer un bon coup. Caler le fusil contre l'épaule. Fermer un œil. Poser l'index sur la détente. Et tirer.

POUM !

Première victime : Chris Fisher, élève de première année, équipe des Comédiens. La balle l'a atteint en plein milieu du dos. Sous le choc, il se plie en deux, puis se retourne sur son siège. Comme il ne voit pas la tache de peinture rouge entre ses omoplates, il se rassied normalement. Chris n'a pas compris ce qui lui est arrivé, mais il n'a pas l'air d'avoir mal. La balle a glissé sous son siège sans faire de bruit.

Je me tourne vers Ike avec un grand sourire.

— Quinze avertoches, fait-il en me tapant sur l'épaule. Plus que quatre-vingt-cinq.

Je choisis ma prochaine cible. Pas une fille : ça me rappellerait trop Mlle Parsippany. Je n'ai qu'à viser un garçon et faire comme si c'était Bartholomew John ou Alex Ortiz.

Je décide de frapper les Biologistes. Les tuteurs de l'équipe sont en train de faire un concours de rots, et les première année sont morts de rire. Parfait. Mon attaque devrait passer inaperçue. Deuxième victime : un garçon assis au dernier rang.

POUM !

La balle lui effleure l'épaule. La peinture rouge gicle sur son anorak. Le garçon n'a même pas bronché.

— Super !

— Vingt, commente Ike. Plus que quatre-vingts.

Et je tire, encore, et encore. Au début, je ne suis pas très précis, je rate souvent mon coup. Mais très vite, je m'améliore. Feu !... Touché ! Feu !... Touché ! Alors, je commence à viser une jambe, puis une main, sans jamais choisir un membre d'une même équipe, histoire de ne pas éveiller les soupçons. Mes cibles prioritaires : les première année, qui n'oseront sûrement pas interrompre leurs aînés de peur de se faire mal voir.

Tiens ! Plus de munitions ! Je n'ai pas vu le temps

passer. Avec un sourire radieux, je me tourne vers Ike et tends la main, paume vers le ciel.

— C'est le cadeau le plus cool qu'on m'ait jamais fait !

— Je sais, répond-il en déposant d'autres balles dans ma main.

J'ai parlé trop vite. Ma septième victime éternue juste au moment où je tire. Le Pagailleur baisse la tête... et la balle percute la poitrine de son tuteur. C'était trop beau pour durer.

— Quinze avertoches de plus, siffle Ike en se relevant d'un bond. Beau travail. Et maintenant, on se tire !

En bas, sur la scène, le Pagailleur regarde la tache de peinture sur son anorak. Sidérés, les membres de son équipe se taisent. Pas longtemps. Deux secondes. Le temps de comprendre ce qui vient d'arriver. Puis ils se lèvent et scrutent la salle. Les autres équipes remarquent qu'il y a un problème. Mes victimes osent enfin parler. Dix secondes après, tout le monde se lance à la recherche du coupable.

Alors là, ça craint. Je me retourne d'un bloc, mais Ike est déjà parti. Je me relève en quatrième vitesse. J'attrape les munitions, le sac d'Ike, mon cartable. Direction : la sortie. J'ai les mains moites, je manque de lâcher le sac. J'essaie de le rattraper, mais le fusil m'échappe des mains. Et poum ! Le coup part tout seul. La balle ricoche sur le lustre et fuse par la vitre baissée.

— AAAAAAH !!!

Un hurlement, en bas, sur la scène.

Je n'ose plus bouger. Une voix familière s'élève dans la salle :

— Je n'ai rien vu venir !

Je me penche par-dessus la paroi en béton. Le Pavillon des Spectacles est désert. Enfin… presque. Il reste Wyatt, notre prof d'arts plastiques. Il n'était pas là, tout à l'heure. Il a dû arriver pendant le branle-bas de combat.

Il comptait sans doute travailler : il a apporté une boîte de peinture et un chevalet.

Wyatt a une magnifique tache violette sur le ventre. Il se tourne vers un public imaginaire, lève les pouces, et commence à installer son matériel de peinture.

Je recule. Wyatt n'a rien, tant mieux.

Soudain je panique : les Pagailleurs vont débarquer d'une seconde à l'autre. Et dans la régie, il n'y a qu'une seule porte, au pied d'un petit escalier. Pas question que je tente de m'enfuir par là. Ni que je cherche à justifier ma présence. Alors quoi ? Me cacher sous les fauteuils ? Oui, mais s'ils me découvrent ? Ce sera encore pire…

— Ici BS 4. J'y suis presque.

Stop. Quelqu'un, dans le couloir… Des bruits de pas. Un Bon Samaritain approche… Un crépitement… Il parle dans son talkie-walkie.

— Premier entresol. RAS.

La voix se rapproche encore.

BOUM ! BOUM ! BOUM !

— Ouvrez !

Les murs de la régie tremblent. Je me raidis. La porte va s'ouvrir. J'attends…

Rien.

BLAM ! Une porte qui claque. Encore des crépitements étouffés. Le Bon Samaritain fouille une autre pièce.

Plus le temps de réfléchir. Je ramasse mon fusil, braque le canon vers moi et tire.

POUM ! POUM ! POUM !

La peinture m'éclabousse le pied, le menton, la cuisse.

— Bien joué.

Je sursaute. La porte de la régie est grande ouverte. Élinor se tient sur le seuil.

— Se tirer dessus pour se faire passer pour la victime… fallait y penser, poursuit-elle. Annika serait fière de toi.

Non. Non, ce n'est pas ça du tout. Je vais lui expliquer qu'elle s'est trompée, que…

Les mots se coincent dans ma gorge sous le regard intense qu'elle me lance.

Puis, sans rien ajouter, Élinor tourne les talons et s'en va.

Chapitre 13

AVERTISSEMENTS : 750
ÉTOILES D'OR : 60

Standard des Fayots, bonjour ! Que puis-je faire pour vous ?

— J'aimerais signaler un vol, s'il vous plaît.

— Je vous écoute.

Je m'enfonce dans le placard, me cache derrière l'anorak de Lemon et lâche d'une traite :

— Tout à l'heure, en sortant du Fastfood, Aaron Potts a volé une boîte de bretzels à Matilda Jackson.

À l'autre bout du fil, le cliquetis du clavier d'ordinateur s'arrête.

— Une boîte de bretzels ?

— Oui.

— Et pourquoi pensez-vous que ce vol mérite d'être signalé ?

— Parce que Matilda Jackson adore les bretzels. Elle ne mange que ça.

Ça, je l'ai inventé. La standardiste se remet à taper sur son clavier et demande :

— Avez-vous été témoin de ce vol ?

— Oui.

— Seamus Hinkle, double cafardage avec préméditation !

Clic ! elle raccroche. Je laisse passer une minute avant de la rappeler.

— Standard des Fayots, bonjour ! Que puis-je faire pour vous ?

— Je voudrais parler à mes parents, s'il vous plaît.

— Désolée, ce genre d'appel est interdit. Vous devrez attendre le Jour des Parents pour raconter vos exploits.

— Très bien. Merci.

— Seamus Hinkle : Tentative de communication parentale !

Clic !

J'attends une minute… et rappelle une troisième fois.

— Standard des Fayots, bonjour ! Que puis-je… Hé ! C'est encore vous, Seamus Hinkle ?

— Oui.

— Vous êtes au courant que chaque fois que vous m'appelez, vous récoltez des étoiles d'or ?

Bien sûr. C'est le but. Mais je ne veux pas que la standardiste le sache.

— Je vous promets que c'est la dernière fois, dis-je. Je suis peut-être vieux jeu, mais je ne peux pas laisser passer ça.

— D'accord, Monsieur Vieux-Jeu, je suis tout ouïe.

— Brian Benson a programmé les télés du dortoir

des première année : on est obligés de regarder *Oggy et les Cafards* tous les soirs.

La standardiste s'arrête de taper.

— Et alors ?

— Vous avez déjà vu *Oggy et les Cafards* ? Je préfère encore regarder les informations.

Le bruit de ses doigts sur le clavier reprend.

— C'est pourtant un classique, objecte la standardiste. Mais je suppose que vous vous en fichez… autre chose ?

— Non.

— Vous êtes sûr ? Parce que si vous comptez rappeler dans cinq secondes, autant gagner du temps et tout me dire maintenant. Ça m'évitera de gaspiller ma salive.

— Je suis sûr.

— Super. Seamus Hinkle, triple cafardage avec préméditation !

Clic !

Je raccroche. Aussitôt, mon K pad se met à vibrer. J'ai reçu un nouveau message.

> **À :** s.hinkle@kilter.org
> **DE :** arsenal@kilter.org
> **OBJET :** Ne t'arrête pas en si bon chemin !
>
> Félicitations, Seamus ! Tu as attaqué plusieurs professeurs, fait tous tes devoirs et déchaîné la fureur du Barbouilleur 1000 de Kilter ! Tu as donc gagné 100 avertissements supplémentaires (et donc, 100 crédits). De quoi dévaliser l'Arsenal !
>
> Nous te suggérons néanmoins de débrancher ton téléphone. Il y a deux minutes, tu avais 750 aver-

> tissements, 60 étoiles d'or, et 670 crédits (690 crédits, moins les 20 crédits dépensés pour acheter l'Extincteur de Poche de Kilter). Tu aurais pu te payer le Protège-Trombine de Kilter en inox, qui coûte 650 crédits. Tous les Snipers devraient se l'offrir !

Je clique sur l'appareil photo. L'image d'un masque argenté brillant qui ressemble au casque d'un gardien de hockey apparaît.

> Cependant, suite à tes appels téléphoniques, il te reste tout juste de quoi t'acheter le Protège-Trombine de Kilter *en plastique* (600 crédits), qui n'a rien d'extraordinaire. Or, tu es un Pagailleur extraordinaire ! Et qui dit « Pagailleur extra », dit « protection extra » !
>
> Si tu t'es endormi le nez sur la touche « *bis* »... RÉVEILLE-TOI !
>
> À ton service,
>
> L'Équipe de l'Arsenal.

Je ferme le message et ouvre le Bulletin de Kilter. + 60 étoiles d'or. Vu tous les avertissements que j'ai remportés, ce n'est pas grand-chose, mais c'est un bon début.

Je m'explique. Annika et les profs croient que je suis un Pagailleur-né, parce que j'ai tué Mlle Parsippany. Ça, je ne peux pas le changer. Et toutes les bêtises (involontaires) que j'ai faites depuis mon arrivée à Kilter ont confirmé ce qu'ils pensent de moi. Mais mes copains ne m'ont pas encore catalogué. Si je gagne assez d'étoiles d'or pour rétablir l'équilibre, je resterai dans la norme, et ils ne me mettront pas à l'écart. Jusqu'ici, le Bulletin de chaque élève est top secret, mais ça peut changer. En plus, dans une école de Bagailleurs professionnels, n'importe qui peut espionner ses copains. Je suis certain d'avoir trouvé la bonne solution. Comme ça, je n'éveillerai pas les soupçons en me pointant à l'Arsenal avec un million de crédits.

Je suis très content de moi.

Jusqu'à ce que j'aperçoive la dernière ligne du Bulletin.

Mon sang se fige.

CLASSEMENT : 4e sur 31.

Je suis quatrième. Je suis là depuis moins d'un mois et je suis *quatrième*. Devant les trois quarts de la classe. Vous imaginez toutes les étoiles d'or que je vais devoir gagner pour rattraper ça ?

Au moment où je m'apprête à rappeler le Standard des Fayots pour faire une nouvelle Tentative de communication parentale, j'entends la porte de la chambre s'ouvrir et se refermer.

Pour justifier ma présence dans le placard, j'avais dit à Lemon que j'avais envie de regarder un film sur mon K-pad dans le noir. Je cache le téléphone dans la capuche de mon sweat-shirt et sors du placard.

Lemon n'est pas seul. Il est en train de parler avec Abe, qui me tourne le dos.

— Sérieux, Lemon, c'est le seul moyen. Si on s'y met tous, on…

Abe se retourne et fronce les sourcils en me voyant.

— Ton film est déjà fini ? s'étonne Lemon.

Je ne me suis planqué qu'un quart d'heure.

— Il était nul.

— Pas de bol, commente mon copain.

Je reste devant le placard, sans bouger. Abe bloque l'accès à ma chaise de bureau. Gabby est assise sur mon lit. J'hésite à aller dans la salle de bains : j'ai déjà pris ma douche, et je n'ai pas envie qu'on croie que ce que j'ai à y faire va durer plus de trente secondes. Ma performance au CDI ne s'est pas encore ébruitée, mais on ne sait jamais.

— Abe propose qu'on s'allie avec Gabby et lui, m'annonce Lemon.

Abe lève les bras en sifflant :

— J'hallucine !

— Il pense que c'est le seul moyen de vaincre Mister Mystère, enchaîne mon camarade de chambre en s'affalant sur son lit.

Je demande :

— Qui c'est, Mister Mystère ?

— Le prof d'histoire, *alias* M. Tempest, répond Gabby.

— Mais Houdini a dit qu'on n'était pas obligés de le battre.

— Les Pagailleurs *de base* ne sont pas obligés, précise Abe. Moi, si. Je *veux* les crédits bonus.

— Tout à l'heure, Abe a essayé de l'attaquer avec sa bombe de peinture, explique Gabby. Ça a fait toute une histoire.

— Il a été repéré avant que la première goutte atteigne sa cible, renchérit Lemon.

— Tu veux vraiment t'allier avec le nouveau ? proteste Abe en posant les mains sur les hanches.

— Hinkle est sympa, lui assure Lemon.

— Oui, mais *Hinkle* est arrivé un mois après nous.

Hinkle a eu droit à un traitement de faveur. Et *Hinkle* est le chouchou d'Annika et des profs, qui le considèrent presque comme l'un des leurs. Alors comment tu sais qu'on peut lui faire confiance ?

Lemon me regarde et lâche :

— Je le sais, c'est tout.

Un silence pesant s'installe.

— Ah ouais ? finit par grogner Abe.

— Ouais, réplique Lemon.

— OK, grommelle Abe avec un soupir agacé. Admettons que je lui fasse confiance. Il a quand même un mois de retard. T'es pas un super copain, Lemon, mais t'es le premier de la classe. Je le sais parce que je suis deuxième, que Gabby est troisième, et qu'à part toi, aucun Pagailleur n'a battu tous les profs. C'est pour ça que je veux m'allier avec toi.

Lemon reste imperturbable.

— Ensemble, on peut battre Mister Mystère plus vite et plus facilement que n'importe quel Pagailleur avant nous, reprend Abe.

Gabby vole à son secours :

— T'as pas envie d'être le meilleur, Lemon ? Regarde tout ce que tu obtiens sans rien faire, ici. Imagine ce que tu pourrais avoir si t'étais le meilleur des meilleurs !

— Une récompense ? propose Lemon.

— Une récompense du genre Détecteur de Fumée avec Extincteur Intégré de Kilter, complète Abe.

Lemon se redresse brusquement.

— À trois, on peut faire des bêtises trois fois plus grosses et gagner ce qu'on veut trois fois plus vite, reprend Abe, les yeux levés vers le plafond taché de suie. C'est pratique, non ?

Lemon fronce ses sourcils broussailleux et se met à fixer la poubelle qui trône au milieu de la chambre. On a bien essayé de la nettoyer, lui et moi, mais on aura beau frotter, gratter et récurer cette poubelle, elle restera noire à tout jamais.

Enfin, Lemon se rassoit.

— Ça marche.

— Ouiii ! exulte Abe.

— Géniaaal ! couine Gabby.

— À une condition, précise Lemon.

— Tout ce que tu voudras, fait Abe avec un sourire.

— Hinkle vient avec nous.

Le sourire d'Abe disparaît.

— Dans tes rêves !

J'interviens :

— Merci Lemon, mais...

— Soit Hinkle vient, soit vous vous débrouillez sans moi, m'interrompt Lemon d'une voix ferme. T'as raison, Abe : je suis le premier de la classe depuis plusieurs semaines. Même après m'être fait attraper par les Bons Samaritains et avoir pris quatre jours d'interdiction. Si tu veux battre Mister Mystère, tu devras accepter mes conditions, parce que je suis sûr de pouvoir y arriver tout seul.

Abe s'avance vers Lemon et lui murmure à l'oreille :

— Hinkle a un mois de retard.

Vas-y, fais comme si je n'étais pas là !

— Il va tuer notre performance, poursuit Abe.

« Tuer ». Ha, ha.

— Je parie qu'il n'a battu que Fern, achève Abe dans un filet de voix.

— On n'a qu'à le lui demander, objecte Lemon. Hé, Hinkle ! T'as battu combien de profs ?

Je déglutis. Ça me dérange un peu de dévoiler mon palmarès. Même si c'est une bonne chose

— Cinq, j'avoue.

Abe se retourne d'un bloc.

— *Combien* ? s'étrangle Gabby.

— Et qui ? interroge Abe sur un ton suspicieux.

— Fern, Samara, Wyatt, Lizzie et Houdini.

Tous par accident. Y compris Houdini, qui n'avait pas vu que ses lunettes de soleil avaient glissé de sa tête et étaient tombées dans mon cartable à la fin du cours de maths, la semaine dernière. Et Lizzie, la prof de langues, qui m'a posé une question au Fastfood, et qui n'a rien compris quand je lui ai répondu la bouche pleine de poisson pané.

Mais Abe n'a pas besoin de connaître ces détails.

Il n'en revient pas :

Il ne reste plus que Devin, et...

— ... et Mister Mystère, achève Lemon.

Abe me dévisage pendant quelques secondes, secoue la tête et se retourne vers Lemon.

— Il a quand même un mois de retard par rapport à nous, insiste-t-il. Il va jamais pouvoir nous rattraper.

— T'as combien d'avertissements ? m'apostrophe Lemon.

— Sept cent cinquante.

J'évite de mentionner les cent vingt étoiles d'or.

Abe et Gabby en restent comme deux ronds de flan. Je les ai scotchés, et j'en suis plutôt fier.

— Tu oublies Annika et les profs, renchérit Abe. Je

sais pas pourquoi ils adorent Hinkle, mais ils risquent de le surveiller de près. S'il s'allie avec nous, les profs nous auront dans le collimateur. Il va nous compliquer la tâche.

Au son de sa voix, je devine qu'il est un peu vexé.

— Les profs nous ont déjà à l'œil, fait observer Lemon en se penchant vers Abe. Est-ce qu'au moins tu t'es demandé *pourquoi* Annika et les profs adoraient Hinkle ?

— Parce que...

Abe s'interrompt. En fait, il n'en sait rien.

Alors, sans s'énerver, comme s'il parlait à un enfant de cinq ans, Lemon lui explique :

— Ils ont fait *exprès* de l'inscrire plus tard. Et il nous a presque rattrapés. Tu oublies un truc important : on est dans une école de Pagailleurs. (Il se tait trois secondes avant de conclure :) Je te laisse réfléchir là-dessus.

Et pendant qu'Abe réfléchit, je flippe. Mon cœur bat plus fort, ma respiration s'accélère. Je m'appuie contre la commode, au cas où on me poserait la question qui tue. J'attends, agrippé à un meuble pour me retenir de tomber.

— Et si on faisait un marché ? propose soudain Gabby.

Lemon s'allonge sur le côté.

— Explique.

— Hinkle va passer une épreuve. S'il réussit, il peut venir avec nous. Sinon, il dégage.

— Très bonne idée, approuve Abe avec un soupir de soulagement.

Apparemment, il est persuadé que je vais échouer.

Lemon hoche lentement la tête, me regarde et demande :

— Qu'est-ce que t'en penses ?

— Je suis partant.

Pendant que Gabby, Abe et Lemon s'entretiennent à voix basse, je m'assieds au pied de mon lit. Je ne vais pas réussir l'épreuve. Je ne serai pas pris dans leur groupe. Je ne vais pas gagner Mister Mystère. Qu'importe. Tout ce que je veux, c'est rentrer chez moi. Abe me fait un peu penser à Bartholomew John. J'aimerais lui prouver qu'il a tort, mais je préfère ne pas me faire remarquer.

Trois minutes plus tard, Gabby se frotte les mains et se tourne vers moi :

— Prêt pour un combat de regards ?

— Un *quoi* ?

— Gabby et toi, vous allez vous affronter du regard, m'explique Lemon. Le premier qui cligne des yeux a perdu.

— Pour être honnête, je dois te prévenir que je maîtrise, fait Gabby. (Elle installe une chaise en face de moi et s'assied.) Je maîtrise à fond.

Ce combat ne me semble pas trop difficile, mais Gabby a l'air de le prendre très au sérieux. Elle se frotte les yeux, ouvre et ferme les paupières (trois fois lentement, cinq fois très vite), puis regarde à droite, à gauche, en haut et en bas, sans bouger la tête. Ensuite, elle pose les pouces sur ses paupières du bas, les index sur ses paupières du haut, et elle s'agrandit les yeux au maximum. À un moment, je me demande même si ses yeux bleus ne vont pas sortir de leurs orbites.

Elle fait craquer ses phalanges.

— Prêt ?

— Prêt.

Abe entame le compte à rebours :

— Cinq… Quatre… Trois… Deux… Un… Partez !

Gabby plonge son regard dans le mien. J'ai l'impression que des rayons laser vont jaillir de ses pupilles.

Cette fille a un regard intense et très dérangeant. Je ne vais pas tenir plus de dix secondes. Tout à coup, j'entends Abe éternuer. Une fois. Deux fois. Trois fois. Paf ! Lemon a dû lui donner un coup de poing dans l'épaule, parce que Abe s'arrête aussitôt.

Il essaie de me déstabiliser. Il me fait son Bartholomew John des jours du poisson pané. Pas question que je me déconcentre. J'écarquille les yeux et m'imagine en train de jouer à un jeu vidéo. Dernier niveau. Pas le droit à l'erreur. Interdiction de redémarrer la partie.

Soudain, Gabby cligne des paupières.

Elle a tenu trois minutes et onze secondes.

J'ai gagné.

Je fais partie de la bande.

Abe et Gabby s'en vont sans protester. Lemon me tend une serviette mouillée, que je presse sur mes paupières. J'ai les yeux tout secs.

— T'as battu la meilleure Fusilleuse à son propre jeu, murmure-t-il. Je suis bluffé.

Je garde la serviette devant mes yeux, pour ne pas croiser son regard. Je dois éclaircir un point qui me tracasse :

— Quand t'as demandé à Abe s'il savait pourquoi Annika et les profs m'adoraient…

J'inspire un bon coup. Pour me calmer, je compte les battements de mon cœur, avant de souffler :

— Est-ce que *toi*, tu sais pourquoi ?

— Non, répond Lemon. Tu me l'as pas dit.

— Mais je… je croyais que t'avais peut-être entendu… Je sais pas… des rumeurs, ou…

— Te prends pas la tête, Seamus. On a tous quelque chose à cacher.

Chapitre 14

AVERTISSEMENTS : 760
ÉTOILES D'OR : 120

On s'est vraiment alliés au bon moment, Abe, Gabby, Lemon et moi. Parce que le lendemain matin, au réveil, on reçoit un message sur notre K-pad. Rassemblement obligatoire devant la porte d'entrée du collège à 9 heures précises. Avec un pique-nique.

À 9 heures tapantes, une voiture de golf se gare devant l'entrée, identique à celle qu'Ike conduisait l'autre jour, mais dix fois plus grande et avec trente sièges au lieu de deux.

Et devinez qui est le chauffeur ? Mister Mystère en personne. Annika est assise à côté de lui, les yeux fixés sur son K-pad.

— Bonjour ! dit Alison Parker en montant dans le bus.

Alison Parker est une Toqueuse. Son truc, c'est de frapper aux portes des gens pour aller se cacher ensuite.

— Bonjour, Annika ! s'exclame Eric Fisher, un super Cache-cacheur. Bonjour, monsieur Tempest !

— Salut ! lance Abe.

Je grimace. Décidément, Abe n'est pas très poli. Mais il obtient la même réponse que les autres : un petit sourire de la part d'Annika, et rien du tout de la part de M. Tempest. Aujourd'hui, le prof d'histoire est tout en noir : long manteau en laine, gants, et lunettes. Il attend qu'on s'installe dans le bus, sans broncher, le regard droit devant lui.

Sitôt assis, Lemon et moi, recevons un message :

À : l.oliver@kilter.org ; s.hinkle@kilter.org ; g.ryan@kilter.org
DE : a.hansen@kilter.org
OBJET : !!!

Ça tombe impec ! Il nous faut une stratégie, mais on ne peut pas parler ici. Trop de monde. Réfléchissez, et on en discute en arrivant.

Abe.

Je me dis qu'Abe exagère un peu : Gabby et lui sont assis juste devant nous. Qui pourrait nous entendre ?

Deux secondes plus tard, bzz ! bzz ! Nouveau message.

À : a.hansen@kilter.org ; s.hinkle@kilter.org ; g.ryan@kilter.org
DE : l.oliver@kilter.org
OBJET : Restez cool

C'est tout. Aucun texte dans ce message.

J'en fais part à Lemon. Il jette un œil à mon K-pad et réplique :

— J'ai dit tout ce que j'avais à dire.

Il faut rester cool. Très bien. Je range mon K-pad et me rassois correctement.

Au bout d'un moment, je chuchote :

— T'as déjà eu cours avec M. Tempest ?

— Une fois, mais pas longtemps : il nous a raconté comment Annika avait fondé le collège, il y a vingt ans. À l'époque, elle en avait dix-huit, et c'était la seule prof. Au début, elle faisait tout, elle était : directrice, gardienne, cuisinière... mais très vite, elle a pu engager d'autres profs. D'après elle, si l'académie Kilter a autant de succès, c'est parce qu'elle a toujours été très exigeante. Elle recrute ses employés selon deux critères.

— Lesquels ?

— Leur don pour semer la pagaille et leur immaturité.

— À quoi reconnaît-on quelqu'un d'immature ?

— À leur âge. Les plus de vingt-cinq ans préparent des hamburgers au Fastfood. Ils sont trop vieux pour être profs.

— Mais...

Le bus de golf démarre en trombe, ce qui m'empêche de signaler qu'avec ses rides et ses cheveux blancs M. Tempest a dû fêter ses vingt-cinq ans il y a des lustres.

On s'éloigne à toute vitesse. Le paysage défile en accéléré. Les verts se mélangent aux bleus et aux bruns. Impossible de savoir où on va. Une vitre a coulissé automatiquement de chaque côté de l'autobus, étouffant les odeurs et les bruits extérieurs. Nous sommes coupés du monde. Tout ce que je peux dire, c'est qu'on roule en montagne : ça tourne et ça tangue dans tous les sens.

À côté de moi, Lemon a les yeux fermés. Devant, Gabby n'arrête pas de discuter avec Abe. En fait, elle parle et Abe écoute (ou fait semblant d'écouter, puisqu'il lit une BD, qu'il est obligé de tenir à deux mains pour ne pas se la prendre dans la figure à chaque virage).

Après dix minutes, j'ai l'estomac retourné. L'arrière du crâne plaqué contre l'appuie-tête, je me concentre sur un point devant moi. Fixer un objet immobile m'a toujours aidé à ne pas vomir.

Virage à droite. J'empoigne mon pique-nique posé sur mes genoux pour l'empêcher de tomber. L'odeur des œufs, du fromage et du poisson pané vient frapper mes narines. En temps normal, ça m'aurait mis l'eau à la bouche. Mais dans un bus de golf qui roule à cent à l'heure en pleine montagne, ça me donne plutôt envie de courir aux toilettes. Au prix d'un effort colossal, je tourne la tête à gauche et pose la main sur la vitre. Est-ce qu'elle redescendrait en cas d'urgence ? Je vais essayer d'appuyer dessus, pour voir…

À cet instant, j'aperçois un éclair roux.

Élinor.

Je ne l'avais pas vue monter. Elle doit être assise pas loin. Quand le bus tourne à gauche, le soleil entre par la droite, et je vois ses cheveux se refléter sur la vitre.

Je choisis de me concentrer sur cette image. Très vite, ma nausée disparaît.

Une demi-heure plus tard, M. Tempest écrase la

pédale de frein. J'ai un petit creux, finalement. Je mangerais bien un bout de poisson pané.

Au moment où la vitre redescend, M. Tempest nous lance :

— Ne mangez pas tout maintenant : on dînera sûrement très tard !

Dès que Gabby a posé un pied dehors, elle frissonne :

— Brrr ! Il gèle, ici !

Elle exagère à peine : il fait beaucoup plus froid qu'à Kilter. Avec mon jean et ma polaire, je suis congelé. Je me frotte les bras en regardant les arbres nus qui se dressent sur le sol couvert de givre. Le ciel est tout gris. Apparemment, on est dans une clairière, au milieu d'un bois, pas loin du cercle polaire Arctique.

M. Tempest tend son K-pad vers la soute du bus, qui s'ouvre. L'intérieur ressemble à un magasin de vêtements.

— Allez prendre un bonnet, des gants et des chaussures de randonnée, nous ordonne-t-il.

Gabby objecte :

— Je croyais qu'on avait histoire, pas éducation physique.

M. Tempest sort une casquette en laine de la poche de son manteau et se l'enfonce sur la tête. Le pompon de sa casquette oscille dans le vent froid.

— Si vous travaillez bien, vous aurez les deux, déclare-t-il.

J'ignore si les autres ont compris de quoi il parlait, mais moi non. De toute manière, il fait trop froid pour qu'on se pose la question. On va tous s'équiper en vitesse.

M. Tempest annonce :

— Comme je vous l'ai dit la dernière fois, les cours des prochaines semaines seront consacrés à la célèbre histoire top secrète de l'académie Kilter. Mais avant de commencer, vous devez savoir une chose très importante. (Il se tapote la tempe du bout de l'index.) Avec l'âge, ce qu'il y a là-dedans se ramollit et perd de son efficacité. C'est pour ça que vos parents vous demandent si vous avez fini vos devoirs toutes les deux minutes.

À côté de lui, Annika semble écouter son discours avec attention. Il lui lance un regard circonspect.

À cet instant, Jillian, une fille très grande pour son âge, demande :

— Pourquoi on a mis des brocolis dans mon pique-nique ? J'ai dit un millier de fois que je détestais ça !

Lentement, M. Tempest baisse la tête et la regarde par-dessus ses lunettes de soleil (devenues inutiles, puisque le soleil est caché par de gros nuages gris). Annika se racle la gorge. Le prof d'histoire relève la tête et reprend :

— Plus vous ferez fonctionner vos méninges, plus vous vous rappellerez ce que les adultes ont tendance à oublier. Les deux qualités majeures d'un bon Pagailleur sont : une mémoire d'éléphant et un sens aigu de l'observation. Deux qualités qui vous serviront en toute circonstance… y compris aujourd'hui.

— Vous pouvez préciser ? interroge Lemon.

M. Tempest fronce les sourcils.

— Suivez-moi. Vous allez voir.

Il se dirige vers l'autre côté de la clairière. Annika, elle, est partie devant. On hésite un peu. Quelques élèves jettent un dernier coup d'œil chargé de regret en direction du bus : il doit y faire bien plus chaud. L'académie Kilter a beau être isolée, ça reste un bâtiment civilisé. Or, je suis sûr que cette forêt déserte n'apparaît sur aucune carte. L'autobus est notre seul lien avec la civilisation.

— Tu viens, Hinkle ?

Je me retourne d'un bloc. Abe me fait signe de le rejoindre. Lemon court derrière M. Tempest, Gabby sur ses talons.

Je m'empresse de les suivre, aussitôt imité par les autres élèves. Au milieu de la clairière, je regarde derrière moi : Élinor est à la traîne. En fait, c'est la dernière. Le regard baissé, elle s'arrête tous les deux mètres et s'accroupit pour examiner quelque chose sur le sol. J'ai l'impression qu'elle est un peu nerveuse. Alors je décide de l'attendre.

À cet instant, Abe m'attrape par la capuche et me tire vers lui :

— Allez, grouille !

Un dernier regard à Élinor, et je me remets à courir. De l'autre côté de la clairière, un étroit sentier jonché de branches mortes et de pierres s'enfonce dans la forêt. Le sol plat devient vite abrupt. On a bien fait de changer de chaussures : en baskets, on aurait dérapé et on aurait pu se tordre une cheville. La température chute à mesure qu'on grimpe. Vingt minutes plus tard, quand on débouche dans une deuxième clairière, il se met à neiger.

— On fait une pause ! ordonne M. Tempest.

Il s'appuie contre un arbre mort, sort une bouteille d'eau de la poche de son manteau et boit au goulot. Je le trouve très en forme, pour son âge. D'accord, il respire un peu vite, mais moins que certains élèves.

Gabby s'écroule par terre, le souffle court :

— C'est encore loin ?

On croyait être arrivés. Tout le monde ronchonne et pleurniche un peu, mais chacun prend sa bouteille et imite M. Tempest.

Je bois en regardant autour de moi et aperçois un deuxième sentier. Annika est déjà repartie. Au moment où M. Tempest se remet en route, Élinor pénètre dans la clairière. Je laisse Lemon et les autres passer devant et vais la rejoindre à petites foulées.

— On a fait une pause. On n'est pas encore arrivés.

Avec sa capuche bordée de fausse fourrure, Élinor me fait penser à un petit lapin des neiges.

— Ah bon ? dit-elle.

— Ouais.

La neige ne doit pas être si froide que ça, parce que j'ai très chaud.

— Tu devrais boire un peu d'eau.

— Je vais y réfléchir, fait Élinor.

Sa réponse me coupe le sifflet.

— Tu m'attendais ? me demande-t-elle après quelques secondes.

Je secoue la tête. Maintenant, mes joues sont carrément brûlantes.

— Euh… non… en fait, j'attends tout le monde. Pour que personne ne se perde.

Je m'attends à ce qu'elle me lance un nouveau « Ah bon ? », mais elle réplique :

— Tes copains sont partis, Seamus.

Je me retourne. Dans la clairière, il n'y a plus que Marcus, un Pagailleur grassouillet, qui s'est assis sur un rocher pour manger un sandwich.

— Tu peux y aller, m'assure Élinor. On va se débrouiller.

Elle plante ses yeux dans les miens. Avec un regard aussi franc, je suis obligé de la croire.

Je rattrape les autres en moins de deux minutes. Lemon, Abe et Gabby marchent en tête. Je zigzague entre les élèves pour les rejoindre. Plus je réfléchis, plus je me dis que j'ai drôlement bien fait d'écouter Élinor. Parce que si j'avais attendu cinq minutes de plus, c'est sûr, je me serais perdu au milieu des dizaines de sentiers sinueux qui se croisent. On tourne à gauche. Puis à droite. Puis encore à gauche. C'est un vrai labyrinthe. On passe devant un million d'arbres, qui se ressemblent tous. Impossible de se repérer. Quand enfin, on débouche dans la troisième clairière, j'ai l'impression d'avoir marché pendant huit jours.

Dans la clairière, il y a un manège, une grande roue, des balançoires, des petites montagnes russes, des baraques foraines et des stands de nourriture.

Nous sommes arrivés dans un parc d'attractions.

— On dirait le décor d'un film d'horreur, murmure Abe.

Je suis plutôt d'accord. Parce que personne ne crie sur les montagnes russes, personne ne tire à la carabine pour gagner des peluches et personne ne mange de churros saupoudrés de sucre glace. C'est un parc aux manèges rouillés, à la peinture écaillée et aux baraques délabrées. Un parc abandonné depuis très, très longtemps.

M. Tempest ouvre grand les bras et s'exclame :

— Bienvenue au Pic d'Annika !

Chapitre 15

AVERTISSEMENTS : 760
ÉTOILES D'OR : 120

Moi, j'appellerais plutôt ça : l'« Asile de Fous d'Annika », souffle Abe à l'oreille de Lemon.

Lemon ne répond pas : il est en train d'examiner le parc. M. Tempest attend que tous les élèves soient rassemblés autour de lui (y compris Élinor et Marcus, qui sont super en retard) avant de poursuivre :

— Le père d'Annika, Maximus Kilter, était très riche. Annika a grandi dans une maison immense près du collège. Elle passait ses vacances dans d'autres propriétés gigantesques, en Géorgie, en Californie ou dans le Montana. Elle avait tout ce qu'elle voulait : chiots, poneys, poupées en porcelaine... plus de jouets qu'un magasin entier !

M. Tempest nous conduit à l'entrée du parc, délimitée

par une arche en métal tordue avec « LE PIC D'ANNIKA » écrit en lettres cursives dessus. L'inscription est entourée de fleurs gravées dans le métal. Annika se tient à côté de l'arche. Elle écoute M. Tempest, impassible.

— Chaque année, Maximus demandait à Annika ce qu'elle voulait pour son anniversaire. Elle avait le droit de choisir ce qui lui faisait le plus plaisir. Pour ses six ans, Annika a demandé le Pays des Bonbons.

— Le jeu de société ? interroge Abe.

— Oui. Un jour, la fille de sa nounou l'avait apporté. Annika et elle y avaient joué pendant des heures. Alors Annika a voulu en avoir un.

— C'est pas un cadeau extraordinaire, constate Lemon.

— En effet. Mais quand Annika a eu six ans, son père l'a emmenée faire une promenade en montagne. Et il lui a offert le Pays des Bonbons… grandeur nature.

M. Tempest dirige son K-pad vers un stand de nourriture délabré. La vidéo d'un homme assez grand qui tient par la main une petite fille en pyjama rose apparaît sur le mur. L'homme et la fille nous tournent le dos. Ils sont au pied de l'arche ornée d'un gros nœud blanc. La petite Annika défait le nœud et entre dans le parc d'attractions. Les manèges sont peints en couleurs vives, le ciel est bleu et les arbres, couverts de feuilles. Des enfants jouent en poussant des cris de joie.

Avant, le Pic d'Annika ressemblait au paradis.

Marcus regarde Annika et demande :

— Est-ce que son père lui a offert le jeu de société ?

Annika lance un drôle de regard à M. Tempest. Sur le mur du stand, l'image disparaît.

— Non, répond le prof d'histoire.

— Pourquoi, puisque c'était ce qu'elle voulait ? intervient Jillian. Pourquoi son père ne l'a pas écoutée ?

— Il l'a écoutée, mais il ne l'a pas entendue, réplique M. Tempest.

Il y a comme de la tristesse dans sa voix.

M. Tempest passe sous l'arche métallique et nous demande de le suivre. La neige tombe maintenant pour de bon. Une fine pellicule blanche commence à recouvrir le toit et les rails des manèges. Le parc ressemble un peu à une photo en noir et blanc. S'il n'y avait pas ce silence, toutes ces ampoules cassées et ces clous qui dépassent, l'endroit pourrait être assez joli, quoique différent de la vidéo. Je jette un coup d'œil à Annika : ça doit être dur pour elle de voir son parc dans un tel état. Elle court s'isoler derrière un stand de pommes d'amour.

— Qu'est-ce qui s'est passé ? veut savoir Lemon. Annika s'est lassée ? Son parc ne l'intéressait plus ?

M. Tempest s'arrête à côté d'un manège, devant un cheval noir décoré de fleurs rouges à la peinture écaillée.

— Elle n'a pas eu le temps de se lasser, explique-t-il. Le lendemain, son père a dû partir pour un voyage d'affaires qui a duré plusieurs mois. Il lui a promis de la ramener au parc dès son retour, mais il était toujours occupé : les réunions, les coups de téléphone, les voyages d'affaires…

Je demande :

— Et sa mère ? Elle ne pouvait pas l'emmener au parc ?

M. Tempest baisse les yeux, observe la neige pendant quelques secondes et relève la tête.

— Lucelia Kilter n'allait... pas très bien. Elle était trop faible pour faire ce que font les autres mères. Et après la naissance de la sœur d'Annika, son état de santé a empiré.

— Annika a une sœur ? souligne Gabby. Elle travaille au collège ?

M. Tempest ne répond pas.

— Vous voulez dire qu'Annika n'est venue ici que le jour de ses six ans ? s'étonne Abe.

— Malheureusement, oui, dit M. Tempest.

Je ne devrais pas être triste pour Annika : son père s'est donné du mal pour lui construire un parc d'attractions rien que pour elle. Pourtant mon cœur se serre.

Soudain, Annika sort de derrière le stand sur un scooter argenté étincelant. Elle fait plusieurs huit, expédiant des gerbes de neige dans les airs, et s'arrête devant nous en s'écriant :

— Votre attention, les Pagailleurs ! Qui a emmené son vélo au collège ?

Silence.

— Qui aurait *aimé* emmener son vélo au collège ?

Quelques mains se lèvent.

— Et qui aimerait avoir le Kilter 7000, le tout dernier modèle de scooter à commande vocale capable de faire le trajet dortoir-Fastfood en dix secondes ?

Trente et une mains se lèvent. Y compris la mienne.

Annika descend de scooter d'un petit bond et déclare :

— C'est bien ce que je pensais. M. Tempest va vous donner un devoir d'histoire. Le premier qui le remplira gagnera dix avertissements, ainsi que ce petit bijou.

— Quel genre de devoir ? interroge Abe.

— En fait, c'est un test, annonce M. Tempest. Pour voir si vous avez été attentifs ce matin.

Vite. Interro surprise. Qu'a dit le prof ? Les cours d'histoire font fonctionner les méninges, le père d'Annika s'appelle Maximilien, elle avait des tonnes de poupées, elle a demandé le Jeu de l'Échelle pour son cinquième anniversaire, mais à la place, elle a reçu un...

Tout à coup, un bourdonnement bizarre se fait entendre. On dirait une tondeuse géante. Le bruit s'intensifie...

... et un hélicoptère argenté apparaît au-dessus des arbres.

— Notre taxi est arrivé ! crie M. Tempest. Le premier arrivé en bas gagne le scooter !

— Vous partez ? hurle Gabby. C'est une blague ?

L'hélicoptère fait un virage dans le ciel et se dirige vers nous. Les pales brassent l'air avec une telle force qu'on est obligés de reculer et de se protéger la tête avec les bras. La porte de l'hélico s'ouvre, et une échelle métallique en descend. Annika grimpe dessus, suivie de près par M. Tempest.

— Je vais vous surveiller de là-haut ! s'écrie ce dernier. Comme ça, je saurai si vous avez un problème !

Un problème. Dans les bois, on peut avoir *des tas* de problèmes : se perdre, croiser une maman ourse avec ses petits, manger des baies rouges empoisonnées parce qu'on a trop faim et prier pour ne pas mourir avant d'arriver aux urgences...

Mais je m'inquiète pour rien : M. Tempest ne parle sûrement pas de ce genre de problèmes.

On me tire par la capuche de ma polaire. Je me

retourne : la tête baissée, Lemon court vers l'arche en métal, suivi par Gabby et Abe, il me fait signe de venir avec eux.

— On devrait rester groupés ! crie Jillian. Ce serait plus sûr !

— T'as envie de gagner ce scooter, oui ou non ? braille Eric.

— J'ai surtout envie de rester en vie ! rétorque Jillian.

Jillian a raison : rester groupés, c'est plus sûr. Je suis soulagé que tous les élèves n'aient pas envie d'obéir : si on refuse de faire ce devoir, Annika et M. Tempest seront obligés de l'annuler et ils enverront d'autres hélicos pour venir nous chercher. Ils ne vont quand même pas nous laisser mourir de froid !

Quoique...

Je ne vois plus l'hélico, il a déjà disparu de l'autre côté de la forêt.

Une fois le calme revenu, Marcus siffle :

— Quel silence !

— Cet endroit me donne la chair de poule, murmure Jillian.

— Moi, j'me tire, lâche Eric.

À ces mots, tout le monde se met à courir. On ne reste pas groupés longtemps : une fois dans les bois, on est forcés de se séparer à cause des rochers, des branches mortes et des multiples sentiers, qui se ressemblent tous. Lequel mène en bas de la montagne ? Personne n'est d'accord. Chacun part dans une direction différente. Je scrute la neige pour essayer de repérer des empreintes de pas.

Soudain, je sens un petit objet dur me cogner la tête. Un caillou atterrit à mes pieds. Je lève les yeux : Lemon, Abe et Gabby sont perchés dans un grand arbre.

Correction : Lemon et Abe sont perchés, Gabby est accrochée au tronc comme un singe à un cocotier. Elle serre si fort les jambes qu'elle risque de casser l'arbre.

Je n'ai pas signé de pacte avec Lemon et les autres, mais à quatre, on a de meilleures chances de s'en sortir. Et puis les talents d'Enflammeur de Lemon pourront nous être utiles quand le soleil se couchera. J'imagine qu'il gèle à mort la nuit, dans la toundra.

Apparemment, mes « alliés » ne veulent pas qu'on les voie. J'attends que les derniers élèves aient disparu dans la forêt pour me tourner vers l'arbre. Je prends appui sur les branches et grimpe avec agilité. Quand j'arrive au-dessous d'Abe, il persifle :

— On a failli t'attendre.

À califourchon sur sa branche, il n'a pas l'air très content.

— Pardon.

— Vous disputez pas, fait Lemon. Regardez.

On a une super vue, de là-haut. On voit une bonne partie de la montagne, et tous les sentiers. Marcus et Élinor ont pris celui de droite – un chemin sinueux plus long que les autres. Ils avancent lentement. Tous les trois mètres, Élinor attrape Marcus par la main pour l'empêcher de glisser. Le reste du groupe s'est dispersé sur les sentiers à gauche de l'arbre.

Abe désigne trois Pagailleurs qui marchent en tête et annonce :

— Hudson, Taylor et Brown sont les plus rapides. Et les plus dangereux.

— Tu crois ? demande Lemon.

Abe le fusille du regard. Lemon lève les yeux vers le

ciel. L'hélicoptère argenté tournoie au-dessus de la forêt. Il vole si haut qu'on pourrait le prendre pour un oiseau.

— Bien sûr, ils sont moins dangereux que Mister Mystère, précise Abe.

Ses joues rosies par le froid sont en train de virer au fuchsia.

— Mister Mystère est à des années-lumière d'ici, objecte Gabby. C'est râpé pour aujourd'hui. Sauf si l'un de vous sait voler.

Lemon se rassoit sur sa branche, croise les bras et pince les lèvres.

Tout à coup, j'ai une idée :

— Le bus.

Abe tourne la tête vers moi.

— Quoi, le bus ?

— Il est garé au pied de la montagne.

— Et alors ?

— Il faut bien que quelqu'un le conduise. (Mon regard croise celui de Lemon.) On pourrait frapper Mister Mystère avant qu'il remonte dans le bus !

Un petit sourire relève un coin de la lèvre de Lemon :

— On peut essayer.

— Alors grouillez-vous, claironne Abe. Faut qu'on arrive avant les autres.

À l'entendre, on dirait que l'idée vient de lui. Il commence à redescendre de l'arbre. Gabby regarde Lemon. Puis Abe. Puis encore Lemon, qui ne bouge pas d'un centimètre. Je décide de faire comme lui.

Une fois au bas de l'arbre, Abe nous lance :

— Et alors ? Qu'est-ce que vous attendez ?

— On attend que tu nous exposes ton plan, réplique

Lemon. Qu'est-ce que tu comptes faire quand on arrivera au bus ?

Les joues fuchsia d'Abe deviennent cramoisies. Les yeux fixés sur le sol, il bafouille :

— Ah oui… Mon plan… Eh ben j'ai pensé qu'on pourrait… qu'on pourrait le…

Je sens mon pouls s'accélérer. J'ai encore une idée :

— Il faut d'abord retarder les autres Pagailleurs. Si on arrive en bas tous en même temps, Mister Mystère va flairer l'embrouille, et il sera deux fois plus méfiant.

Lemon se redresse.

— T'as raison, Seamus. Mais comment on pourrait retarder les autres ?

J'ignore s'il a une idée ou s'il veut qu'on trouve la solution tout seuls. Lemon est le premier de la classe. Il avait sûrement un plan avant même qu'on descende du bus.

— Il faudrait les appâter, suggère Gabby. Leur promettre un truc encore plus génial que le scooter…

— J'ai une idée, déclare Lemon d'un air songeur.

Il sort son K-pad de la poche de son anorak, rédige un message rapide et nous montre ce qu'il a écrit :

> À TOUS LES PAGAILLEURS ! Deuxième partie du devoir :
>
> Trois anneaux d'or sont cachés dans le manège à chevaux du Pic d'Annika. Le premier qui les trouvera gagnera le Kilter 9000 (un super scooter avec side-car), PLUS 500 avertissements. Ne laissez pas passer votre chance de devenir célèbres… ni de remporter le jackpot !
>
> Bien à vous,
>
> M. Tempest

— Tu crois qu'ils vont préférer le Kilter 9000 au Kilter 7000 ? contre Gabby. Qu'est-ce qu'il est censé faire ? Se transformer en sous-marin ?

— Avec un peu de chance, ça suffira pour piquer leur curiosité, avance Lemon.

— Et s'ils ne regardent pas leurs K-pad avant d'arriver en bas ? je demande.

— Alors on est mal, avoue Lemon. Mais il y a un autre problème : si je leur envoie ce message, ils verront qu'il vient de moi, et pas de Mister Mystère.

— Qu'est-ce que tu proposes ? grogne Abe.

Au ton de sa voix, je devine qu'il est content que le plan de Lemon ne soit pas si génial que ça. Alliance ou pas alliance, Abe a vraiment envie d'être le chef.

— Tout le monde a son K-pad ? interroge Lemon.

On fait signe que oui.

— Alors recopiez ce message. Ensuite, on se sépare et on va le montrer aux autres. On n'a qu'à faire comme si on venait juste de le recevoir.

— Ça marchera jamais, grommelle Abe.

— Si on leur fait croire qu'on va s'éclater en faisant ce devoir et que la récompense est vraiment géniale, ça marchera, affirme Lemon. Cap' ou pas cap' ?

Abe fronce les sourcils. Il ne veut pas donner raison à Lemon, mais il ne veut pas non plus saboter le plan.

— Moi je suis cap' ! déclare Gabby.

— Super ! s'exclame Lemon. Seamus ?

— Je suis d'accord.

Ce qui est très différent de « Je suis cap' ».

Lemon interroge Abe du regard, qui réfléchit quelques

secondes, pousse un soupir, s'assied, sort son K-pad et lâche :

— OK. Mais si ça marche pas...

— Ce ne sera pas ta faute, complète Lemon.

Gabby, Abe et moi recopions le faux message. Pendant ce temps, Lemon nous expose son plan :

— On descendra dès que tout le monde commencera à remonter. Le long du sentier qui mène au Pic d'Annika, il y a des triangles argentés suspendus aux branches. Si vous les suivez, vous ne pouvez pas vous perdre.

Des balises. Pourquoi je ne les ai pas remarquées ? Apparemment, Abe et Gabby ne les ont pas vues non plus. Ils lancent à Lemon un regard étonné. Les autres élèves ne les ont sûrement pas repérées ; on a donc une longueur d'avance. Je commence à comprendre pourquoi M. Tempest a dit qu'un bon Pagailleur devait avoir un sens aigu de l'observation.

— Mister Mystère et Annika nous observent depuis leur hélico, continue Lemon. Je vais faire diversion. Comme ça, ils ne pourront pas voir où on va.

— Ne me dis pas que tu vas allumer un feu ! gronde Abe.

— Au cas où tu ne l'as pas remarqué, on est dans une *forêt*, souligne Gabby.

— Vous inquiétez pas, les rassure Lemon. Je maîtrise.

Il m'adresse un regard entendu. Abe et Gabby n'y croient qu'à moitié, mais ils continuent à taper le message.

— On devrait avoir assez de temps pour rejoindre le bus et nous placer, poursuit Lemon. Abe, il faudrait que tu détournes l'attention de Mister Mystère quand il sortira de l'hélico.

— Je peux taguer le bus, propose Abe.

— Impec. Gabby, tu monteras la garde. Si un Pagailleur redescend avant les autres, préviens-nous.

— Ça marche ! s'exclame Gabby.

— Super. Pendant ce temps, Seamus et moi, on sera planqués dans le bus.

Je dois rester planqué ? C'est tout ? C'est trop beau pour être vrai !

Je me suis réjoui trop vite, parce que Lemon enchaîne :

— Toi, Seamus, dès que Mister Mystère aura le dos tourné, paf ! tu l'achèveras.

Alors ça, ça m'étonnerait.

Je ne panique pas. Du moins, pas tout de suite. Le plan de Lemon est ambitieux… et compliqué. Si on me demandait mon avis, je dirais qu'il ne marchera jamais. Mais comme ce n'est pas le cas, je me tais. Et je m'élance sur le sentier (pas celui qu'a pris Élinor, parce que je refuse de lui mentir). Je montre le faux message à tous les Pagailleurs que je rencontre. J'ai l'air tellement content qu'ils n'attendent même pas que j'aie terminé ma phrase. Ils se précipitent vers le Pic d'Annika en poussant des cris de joie. Je joue plutôt bien mon rôle.

Très vite, je repère les triangles argentés accrochés aux arbres. Soudain, une odeur de fumée emplit l'air. Je me retourne : un panache gris monte vers le ciel. Je poursuis mon chemin. Une fois en bas de la montagne, je grimpe dans le bus de golf. Abe s'est déjà mis au travail.

Je n'ai plus qu'à attendre.

Lemon me rejoint quelques minutes plus tard. Par la fenêtre, j'aperçois Gabby, cachée derrière un pin, pas très loin du sentier principal. Lemon me fait signe de me baisser derrière un siège. J'obéis.

Et là, gros moment de panique. Qu'est-ce que je vais jeter sur Mister Mystère ? Surtout : est-ce que je vais oser le frapper ? Et si je faisais semblant, comme avec Fern, à l'Arsenal ? Oui, mais si les autres s'aperçoivent que j'ai fait exprès de tout faire rater ? Ils me détesteront pour toujours et deviendront mes pires ennemis. Comment pourrai-je survivre jusqu'à la fin du trimestre, si je suis seul au monde ?

Ça y est : j'étouffe. L'air que j'inspire me brûle les poumons. Il faut que je me calme. Je vais m'évanouir. Ou faire une crise cardiaque. Je vais mourir ici, dans le froid, au milieu de nulle part. Notez, comme ça, je deviendrai célèbre… et en plus, je ne serai pas obligé de faire ce qu'on attend de moi.

Tout à coup, Lemon s'écrie :

— J'hallucine !

Je retiens mon souffle. Je me redresse au ralenti et jette un coup d'œil par-dessus l'appui-tête. Lemon est assis à quelques rangées de là, les yeux baissés. Il n'arrête pas de secouer la tête. Prudemment, comme si le bus était miné, je m'avance vers lui.

— Comment il a fait ? gronde Lemon.

Je me glisse derrière lui.

— Comment qui a fait quoi ?

Lemon me montre son K-pad. Une vidéo est en train de défiler sur l'écran. Je ne comprends pas tout de suite ce que je vois. Des Pagailleurs. Un manège à chevaux. Trois anneaux d'or.

Et un scooter argenté flambant neuf… avec un side-car.

— Mister Mystère nous a doublés.

Chapitre 16

AVERTISSEMENTS : 1 060
ÉTOILES D'OR : 180

Dommage qu'à l'Arsenal ils ne vendent pas d'appareils qui prennent les profs en filature. Parce que d'après le dernier k-mail de l'Équipe, j'ai obtenu trois cents avertissements en essayant de battre Mister Mystère. Si on enlève les étoiles d'or que j'ai récoltées en appelant le Standard des Fayots et les crédits que j'ai déjà dépensés, il me reste huit cent soixante crédits. Avec ça, je compte bien m'acheter quelque chose qui va m'aider à comprendre ce qui s'est passé dans la montagne.

Comment M. Tempest a-t-il réussi son coup ? Comment a-t-il su, pour le faux message de Lemon ? Comment a-t-il deviné que les autres Pagailleurs étaient là-haut, pendant que mes copains et moi nous trouvions en bas ? Et surtout, comment a-t-il fait pour trouver un scooter avec un side-car ? On ne savait même pas que ça existait !

C'est Jillian qui a gagné le Kilter 9000. Avec ses jambes gigantesques, elle a atteint le Pic d'Annika en quelques minutes. Peut-être que Mister Mystère dirige une armée de Pagailleurs-espions qui nous ont suivis sans qu'on les voie. À condition qu'ils aient été drôlement bien cachés. Et super bien entraînés. Parce que même les feux de Lemon n'ont pas réussi à les débusquer. On s'est posé des tas de questions, et on n'a trouvé aucune réponse. Tout ce qu'on sait, c'est que Mister Mystère mérite bien son surnom.

J'y ai réfléchi pendant une semaine.

Cette histoire m'empêche de me concentrer sur ma BD. Lemon déboule dans la chambre en s'exclamant :

— Joyeux Thanksgiving !

Je referme la BD et m'assieds sur mon lit.

— C'est aujourd'hui ?

— Ouais.

Lemon va ouvrir le placard. Je prends mon K-pad posé sur mon bureau et double-clique sur le calendrier. Lemon a raison. Avec tout ce qui est arrivé ici, j'ai perdu la notion du temps. J'adore Thanksgiving. Maman fait de la dinde farcie, ce jour-là, et je l'aide à la préparer. Pour moi, Thanksgiving est un jour spécial ; il tombe toujours le quatrième jeudi de novembre.

Aujourd'hui.

— On dîne dans une heure, m'annonce Lemon en me tendant ma polaire et en posant mes baskets au pied de mon lit. Ça nous laisse juste assez de temps.

— Juste assez de temps pour quoi ?

Il bombe le torse, met les mains dans les poches de

son anorak, et... me *sourit*. Attention : pas le petit sourire en coin de d'habitude. Non. Pour la première fois, Lemon m'adresse un *vrai* sourire. Les deux coins de ses lèvres se redressent *en même temps*. Je ne le savais pas capable d'un tel exploit.

Joyeux, j'enfile ma polaire et mes baskets, et le suis sans lui poser de questions. Son sourire s'élargit au fur et à mesure qu'on avance. Je suis si excité que je remarque à peine les deux Bons Samaritains passer devant nous. Et le buisson, derrière lequel Lemon m'oblige à me cacher. Et la carte magnétique argentée, que seul le personnel du collège est censé avoir, et que Lemon utilise pour ouvrir la porte du bâtiment des salles de classe. Et le petit escalier plongé dans la pénombre qu'il me fait descendre, et que je n'avais jamais vu. Et le long couloir brillamment éclairé, qui me fait penser à un hôpital.

Lemon s'arrête devant une porte en acier et prend une profonde inspiration.

— J'espère que ça va marcher.

À ces mots, le poisson pané de midi commence à remuer dans mon ventre.

Je jette un coup d'œil nerveux dans le couloir.

— C'est quoi, cet endroit ? Qu'est-ce qu'on va...

Lemon m'interrompt d'un geste de la main. Du menton, il me montre un boîtier argenté étincelant fixé à droite de la porte. Avec précaution, il pose son cartable et en sort un petit sac de congélation contenant un gant à paillettes argenté.

Je le reconnais aussitôt : c'est celui d'Annika. Quand elle porte ces gants-là, on ne peut pas la louper : le soleil fait briller les paillettes, et tous ceux qu'elle croise se prennent la lumière dans les yeux.

— Où tu l'as trouvé ? Comment t'as f...

— Je l'ai piqué sur son plateau du petit déj ce matin, me coupe Lemon. C'était presque trop facile. Je trouve Annika un peu tête en l'air, pour une directrice d'école de Pagailleurs.

Pop ! Il ouvre le sac, et retourne le gant, en faisant très attention de ne pas le toucher. J'observe le gant à paillettes posé paume vers le ciel sur le plastique aplati. Comme un serveur qui porterait une assiette de soupe brûlante, Lemon le soulève d'une main. De l'autre, il insère la carte magnétique dans la fente du boîtier. Une inscription apparaît sur l'écran digital :

BONJOUR ANNIKA KILTER.

Je suis scié.

— Tu lui as aussi piqué sa clé magnétique ?

— Oui, mais j'ai eu du mal. J'ai dû me planquer sous son bureau pour la prendre dans son porte-monnaie.

Très impressionnant. Je sais bien qu'on nous demande de voler des affaires à nos profs, mais s'attaquer à Annika... est-ce que Lemon n'est pas allé un peu trop loin ?

VEUILLEZ PROCÉDER À L'IDENTIFICATION DES EMPREINTES DIGITALES.

Lemon incline la main et place le gant à la verticale devant le boîtier. Je retiens mon souffle. Regard à gauche. À droite. Ouf. Personne.

Le boîtier émet un bip ! discret. La porte en acier coulisse et disparaît à l'intérieur du mur.

— Et voilà ! s'exclame Lemon. Amène-toi.

Je redemande :

— C'est quoi, cet endroit ?

La pièce dans laquelle on vient d'entrer ressemble à

une salle de contrôle, avec des ordinateurs, des récepteurs radio et tout un tas d'appareils électroniques que je ne connais pas. Il y a des écrans de télé géants sur trois murs, et une carte digitale des États-Unis intitulée « TERRITOIRE DES PAGAILLEURS » sur le quatrième. Des dizaines de points noirs et argentés constellent la carte. Une immense table de conférence transparente occupe le milieu de la pièce. Tout autour, il y a plusieurs fauteuils à grand dossier, transparents, eux aussi. Un plateau en argent est posé devant chaque fauteuil. Les lettres « AK » sculptées dans une matière brillante trônent en plein milieu de la table.

— Je sais pas trop, répond Lemon.

— Alors qu'est-ce qu'on fait là ?

Mon copain s'avance et se retourne vers moi.

— L'autre jour, à l'Arsenal, j'ai entendu Wyatt dire à Samara qu'il allait pouvoir téléphoner à son frère et lui souhaiter bon anniversaire. Samara était super contente pour lui. Elle disait que les e-mails, c'était super chouette, mais que rien ne valait une vraie conversation au téléphone...

— Et alors ?...

— Et alors...

Son sourire s'élargit encore. Il recule de quelques pas et écarte les lettres sculptées. Derrière, il y a un appareil.

Celui-là, je sais ce que c'est.

Je n'en crois pas mes yeux. Je fais un pas en avant. Puis un deuxième.

— C'est bien un... ? On dirait un...

— ... un téléphone, achève Lemon en hochant la tête. Un vrai de vrai, avec douze boutons.

— Comment t'as su qu'il y en avait un ici ?

— J'ai pris Wyatt en filature. Toute la journée. Je croyais que les profs avaient un téléphone portable, et que Wyatt allait appeler son frère avec. Au début, je comptais le lui voler. Et puis hier soir, très tard, il est venu ici tout seul. La porte s'est refermée avant que j'aie pu entrer dans la pièce, mais je l'ai entendu rire et parler. Pas très longtemps, mais assez pour comprendre qu'il avait passé un coup de fil.

Mon regard va du téléphone à Lemon. J'essaie toujours de comprendre ce qui m'arrive.

— Pourquoi tu m'as emmené ici ?

— Parce que douze Pagailleurs m'ont laissé tomber, répond Lemon en baissant les yeux.

Il laisse passer trois secondes et relève les yeux vers moi.

— Et toi, non.

À ce moment, j'ai très envie de le serrer dans mes bras. Mais les garçons ne font pas ça. Alors je lui rends son sourire.

— En plus, ajoute Lemon, le placard de notre chambre n'est pas super bien insonorisé.

— Qu'est-ce que tu veux dire ?

— Qu'on ne s'enferme pas dans un placard pour regarder des films nuls en parlant tout seul.

Je rougis. J'ouvre la bouche ; aucun mot n'en sort.

— T'inquiète, s'empresse de me rassurer Lemon. Tes parents te manquent, pas vrai ? T'arrêtes pas de harceler Marla en pensant qu'elle va finir par craquer et te les passer. J'ai raison ?

Peut-être...

Il tapote le téléphone.

— Alors qu'est-ce que t'attends ? Considère ça

comme un cadeau de Thanksgiving. Pour te remercier d'être resté avec moi dans la chambre.

Je ne sais pas quoi dire. Je suis un peu gêné qu'il m'ait entendu appeler le Standard des Fayots (même s'il ne sait pas pourquoi je l'ai fait). D'un autre côté, Lemon a pris beaucoup de risques pour me faire plaisir. Je suis très touché. J'hésite entre refuser son cadeau (et lui dire qu'il se trompe sur toute la ligne) et le serrer dans mes bras.

Parce que, vous vous rendez compte ? Lemon a trouvé un *téléphone* ! Je n'ai qu'à composer le numéro de la maison et, pour la première fois en six semaines, j'entendrai la voix de mes parents.

— Merci.

— Pas de quoi. (Il regarde sa montre, frappe dans ses mains et s'écrie :) Faut que j'y aille.

Je me tourne vers lui comme il s'élance vers la porte.

— Où tu vas ?

— Annika a dû s'apercevoir que sa clé et son gant avaient disparu. Je vais faire diversion.

— Comment ?

Lemon s'arrête à côté de la porte, sort de la poche de son anorak un briquet, qu'il ouvre d'une chiquenaude. Une petite flamme orange s'allume.

— Comme d'hab, lâche-t-il avant d'éteindre le briquet. Panique pas : je reviendrai te chercher. Mais si tu sens de la fumée, tire-toi en courant.

Et il sort de la pièce. La porte se referme en coulissant derrière lui. Il ne reste plus que moi, les appareils électroniques qui clignotent et qui bipent… et mes parents.

D'un coup je reviens à la réalité. Je me précipite vers la table, tire un fauteuil, me laisse tomber dedans, m'empare du téléphone et décroche. Dans ma main, le combiné me semble à la fois étrange et familier.

Je réfléchis à ce que je vais dire.

« Coucou, Maman ! C'est Seamus ! »

Ou alors :

« Bonjour, Mère, c'est votre fils, à l'appareil. »

Ou alors :

« Yo, ma vieille ! Ça fait un bail ! Ça gaze ? »

Ou alors :

« Hello ! Ça avance, la dinde farcie ? »

Non. Je vais plutôt dire :

— Salut, M'man, ça va ? Joyeux Thanksgiving ! »

Voilà. Une entrée en matière polie et enthousiaste. Après, on verra bien. Maman va sûrement se mettre à pleurer. Je dois lui manquer, même si elle est encore en colère après moi. Entendre ma voix va certainement la faire craquer. Ce qui me laissera du temps pour réfléchir à ce que je dirai.

C'est parti. Coller le combiné contre l'oreille. Inspirer un bon coup. Et composer le numéro.

Driiing !.... Driiing !.... Driii... !

On décroche. J'entends de la musique. Les basses sont poussées à fond. On dirait un trente-huit tonnes qui roule à deux cents à l'heure. J'écarte le combiné de mon oreille.

— Joyeux Thanksgiving ! chantonne Maman.

Mon cœur s'emballe. J'ouvre la bouche pour répondre « À toi aussi, Maman ! », mais je me tais. Il y a un truc qui cloche. La musique rock. Mais pas seulement. Maman reprend :

— Allô ?

J'entends plusieurs voix. Je reconnais celle de Papa,

étouffée par les autres, très bruyantes. Tout le monde a l'air de bien s'amuser.

— Qui est à l'appareil ? demande Maman.

Je plaque le combiné contre mon oreille pour mieux entendre. Quelqu'un rit. Je connais ce rire qui ressemble à un grognement de cochon. Je l'ai déjà entendu plusieurs fois… mais où ?

— On a dû faire un faux numéro, suppose Maman.

Et, juste avant qu'elle ne raccroche, c'est l'illumination.

Ce rire.

C'est celui de Bartholomew John.

Chapitre 17

AVERTISSEMENTS : 1 060
ÉTOILES D'OR : 180

J'ignore combien de temps je suis resté là, assis dans ce fauteuil transparent, le combiné plaqué contre mon oreille. La tonalité a résonné, puis, la porte a coulissé. Lemon est entré dans la pièce, me tirant de ma torpeur. J'ai raccroché.

— Alors ? me demande-t-il, le souffle court.

Je lui adresse un sourire forcé :

— Je suis trop content !

— Génial ! (Il s'appuie sur le chambranle de la porte, jette un coup d'œil dans le couloir avant d'enchaîner :) Allez, on met les bouts !

Bêtement, j'interroge :

— Les bouts de quoi ?

Il tourne la tête vers moi et hausse ses sourcils

broussailleux. Je comprends enfin ce qu'il a voulu dire : il faut déguerpir. Les pieds du fauteuil raclent par terre quand je me lève.

Cette fois, Lemon me fait passer par la sortie de secours. Dehors, il fait froid. Ça sent la fumée. Je cherche le feu des yeux.

— Je l'ai allumé dans une benne à ordures, m'explique Lemon. Tous les Bons Samaritains de garde vont devoir s'y mettre pour l'éteindre. Je ne voulais pas risquer que l'incendie se propage.

— Bien joué.

On s'éloigne de la scène de crime sans trop se presser. Courir attirerait l'attention et nous serions immédiatement suspectés. Je crois d'abord que Lemon va me poser des questions sur mon coup de téléphone, mais il se tait. Une fois que l'odeur de fumée a disparu, je vois ses épaules retomber.

Maintenant, je peux réfléchir à ce qui vient de se passer. Car je suis largué.

Premièrement, à la maison, on fête toujours Thanksgiving dans le calme. Maman cuisine, Papa fait le ménage et je mets la table. On s'assoit, on dit combien on est contents d'être en bonne santé et d'avoir une famille unie, et on mange. Deuxièmement, il n'y a jamais de musique rock. Parfois, Papa met un slow des années 1960 et fait sauter le bouchon d'une bouteille de cidre, mais c'est tout. Et troisièmement, on n'invite jamais personne. Jamais.

Alors pourquoi mes parents ont-ils fait venir mon pire ennemi ? Pourquoi ont-ils organisé une fête à tout casser ? Pour me montrer à quel point ils sont en colère contre moi ? Pour me faire comprendre qu'ils me détestent, qu'ils m'ont oublié et qu'ils m'ont déjà remplacé ?

Le pire, dans tout ça, c'est qu'ils avaient l'air de s'éclater.

— Calme-toi, m'ordonne Lemon.

Je me rends compte que j'ai les larmes aux yeux. Lemon doit croire que mes parents me manquent encore plus qu'avant, maintenant que je leur ai parlé. Je ne veux pas qu'il s'inquiète. Ni qu'il regrette de m'avoir fait un cadeau si chouette. Alors je ravale mes larmes. Pas facile. Elles coulent malgré moi. Je les éponge en tamponnant la manche de ma polaire sur mes yeux.

On est arrivés au Fastfood sans que je m'en aperçoive. La déco a changé depuis le repas de midi : on a accroché des ballons et des banderoles, mis des fleurs fraîches sur les tables, tamisé la lumière des lustres et allumé de grandes bougies sur chaque table. L'ensemble crée une ambiance chaleureuse et feutrée. Devant chaque chaise, il y a un tas de cadeaux enveloppés dans du papier argenté brillant.

Lemon va se placer devant le plus gros tas de la table des première année et annonce :

— Il va sûrement falloir que je fasse un discours ! Si vous voulez des objets ininflammables, je vous en donnerai un peu.

— Merci, fait Abe, qui vient de nous rejoindre. Je te prends au mot.

— Moi aussi, surenchérit Gabby.

Abe et elle sont tout sourire. À cet instant, une voix s'élève derrière nous :

— Je ne dirais pas ça, si j'étais toi.

Je me redresse, imité par Lemon, Abe et Gabby :

Annika s'approche de nous, resplendissante. Elle a dû mettre du maquillage à paillettes, parce que son visage scintille à la lueur des bougies.

— Ça ne me dérange pas de partager, lui dit Lemon.

— C'est très généreux de ta part, Lemon, mais... tes cadeaux sont ici.

Annika pose la main sur la chaise à gauche de celle que Lemon croyait être la sienne, chargée d'un tas de cadeaux à peine moins gros.

— Mais... je suis encore premier ! riposte Lemon. J'ai vérifié ce matin !

— C'est vrai, admet Annika. Et nous sommes tous très fiers de toi. (Annika désigne les paquets devant lesquels se tient Lemon.) Mais ces cadeaux-ci sont pour Seamus.

— Hinkle ? crache Abe.

— Pourquoi ? hoquète Gabby. Euh... sans vouloir te vexer, Seamus.

Mon cœur se serre.

— T'inquiète. C'est sûrement parce que je j'ai commencé avec un mois de retard. Et comme Annika et les profs sont sympas, ils ont voulu que je me sente chez moi... pas vrai, Annika ?

Les cils de la directrice sont tellement brillants que je la vois à peine me faire un clin d'œil.

— Exactement, confirme-t-elle. Et aussi, parce que les DVD édition limitée étaient en solde. (Elle ouvre grand les bras.) Aujourd'hui, c'est Thanksgiving. Nous tenons à ce que chacun de vous sache combien nous sommes heureux de vous avoir parmi nous. Vous avez travaillé dur, vous méritez une récompense. Nous espérons que ces petits cadeaux vous plairont.

Ensuite, Annika serre chaque élève dans ses bras. Mon câlin dure une fraction de seconde de plus que celui des autres, mais je pense que ça ne se voit pas. En plus, j'ai du mal à dire si c'est elle qui me serre plus longtemps... ou si c'est moi. Ce câlin me rappelle celui que me fait Maman tous les soirs avant d'aller au lit, et je n'ai pas trop envie de lâcher Annika.

Mais je m'y résous. Elle longe la table et se dirige vers un autre groupe de Pagailleurs. Abe remarque qu'on a posé devant chaque verre une petite carte argentée avec un nom dessus. Gabby et lui se mettent à chercher la leur. Lemon s'assied à sa place. Je me dépêche de faire pareil, et je divise mon énorme tas de cadeaux en deux tas plus petits.

Soudain, Lemon chuchote :

— Brrr ! Mlle Frigidaire fait toujours froid dans le dos ! Même à Annika !

Je me penche en avant et regarde entre les cadeaux. Élinor est installée en bout de table, à côté de Marcus. Après avoir échangé quelques phrases avec lui, Annika le serre dans ses bras. Elle passe devant Élinor sans lui accorder un regard.

Je remarque alors que les seuls cadeaux d'Élinor sont une assiette et des couverts en argent.

— Elle n'a pas de cadeaux ?

— On n'en sait rien, rétorque Gabby.

— Et on s'en fiche, ajoute Abe, qui, après avoir fait le tour de la table, a fini par trouver sa place – à ma droite.

Moi, je ne m'en fiche pas. C'est Thanksgiving. Tout le monde devrait recevoir un cadeau. Surtout ici, loin de sa famille et de ses amis.

Abe et Gabby ont déjà commencé à ouvrir leurs paquets. Abe brandit un coffret de romans illustrés et s'exclame :

— Ouaiiis ! L'intégrale du *Vampire ventriloque* édition collector !

Lemon secoue une boîte près de son oreille.

Je n'ai pas envie de déballer mes cadeaux. Mais alors là, pas du tout. Même si on m'a offert la trilogie du *Seigneur des anneaux* édition limitée en DVD, ce qui est très probable, vu l'anneau en argent attaché au ruban d'un de mes paquets. J'ai le sentiment de ne pas mériter ces cadeaux. En plus, ici, à Kilter, on fête Thanksgiving comme on fête Noël partout ailleurs. Ce qui me fait penser au 25 décembre. À la maison, le matin de Noël est très calme. Qui va décrocher, si j'appelle mes parents le 25 décembre prochain ? Le père Noël ? Je n'y crois plus depuis trois ans, mais je ne serais pas étonné de le voir débarquer chez nous.

Moins que de voir débarquer Bartholomew John, en tout cas.

— Psst ! siffle Abe.

Une casquette de l'académie Kilter neuve sur la tête, il se penche vers moi, fait signe à Lemon d'approcher et désigne M. Tempest du menton.

— On pourrait tenter une attaque ce soir, non ? Si on ajoutait de l'alcool dans son cidre, il ne nous entendrait pas approcher.

M. Tempest est assis tout seul à la table des profs. Les autres profs se sont installés avec les élèves.

— C'est férié, proteste Lemon. On le laisse tranquille.

Abe fait la moue.

— Alors on pourrait au moins se trouver un nom, poursuit-il.

— Un nom ? répète Lemon.

Abe jette un regard alentour, puis se rapproche de nous. Son haleine sent le soda sucré.

— Un nom pour notre liance-a, chuchote-t-il.

— Tu veux dire : pour notre alliance ? fait Lemon.

Abe le foudroie du regard. Gabby se faufile devant lui, croque dans une dinde en chocolat grosse comme un ballon de foot et rouspète :

— C'est pas parce que je suis une fille qu'il faut me tenir à l'écart de vos messes basses. Moi aussi, je fais partie de l'allian…

Abe lui plaque la main sur la bouche. Gabby écarquille les yeux, les plisse… et les plante dans ceux d'Abe. Face à une experte Fusilleuse, Abe n'a aucune chance. Il enlève sa main en grommelant :

— Vous ne pourriez pas être un peu plus discrets ? Sinon, tout ce qu'on a fait n'aura servi à rien.

Lemon s'empare d'une fourchette et incline la tête sur le côté.

— Tu voudrais qu'on trouve un nom à cette… *fourchette* ?

Abe fronce les sourcils, ouvre grand les yeux, regarde devant lui, à gauche, à droite, et s'exclame :

— Oh, oui ! Ce serait *super* de trouver un nom à cette *fourchette* ! Parce que cette *fourchette* vient de *Kilter*, et qu'elle est très différente des autres *fourchettes* !

— Quelle bande d'abrutis ! grogne Gabby avant de décapiter sa dinde d'un coup de dents.

Abe propose à voix basse :

— Pourquoi pas « La bande à Abe » ?

Et chacun donne son avis. Je m'apprête à faire une suggestion quand quelque chose me cogne la tête. Je regarde par terre : une petite figurine de pèlerin en caoutchouc a atterri à côté de ma basket droite. Je la ramasse et appuie dessus. Ses yeux gonflent comme deux ballons de baudruche. On a scotché un bout de papier dans son dos.

Seamus,

Bienvenue dans le Nouveau Monde. Fais attention, sinon, tu mourras congelé.

Merci pour le coup de main, cher Tireur d'élite. À deux, c'est beaucoup plus marrant.

Ike.

P.-S. : Heureusement que les pèlerins anglais ont pris le dessus, et pas le DESSOUS. Sinon, qu'est-ce qu'on serait devenus ?

Je me retourne pour scruter la foule. Aucune trace d'Ike. Je relis le message. Regarde sous la table. Il n'y a que des rubans et des papiers déchirés. Alors je regarde sous ma chaise.

Je trouve un gros sac en papier marron – un sac très banal, sans paillettes, ni ruban argenté, avec des traces noires en dessous. On dirait un emballage de poulet rôti. C'est peut-être ce qu'Ike m'a offert. Je ne le mérite pas, mais c'est certainement plus approprié que les autres cadeaux qui m'attendent.

Je me suis trompé : ce n'est pas un poulet rôti. En fait, ça ne se mange pas. C'est un anorak en duvet d'oie. Flambant neuf (il y a encore l'étiquette).

Un anorak noir. Exactement comme celui d'Ike.

— Il est chouette, commente Lemon.

Je lève les yeux. Lemon s'est rassis correctement, laissant Gabby et Abe se disputer. Abe veut appeler notre alliance « L'Armée d'Abraham », et bien sûr, Gabby n'est pas d'accord.

— C'est bizarre qu'il ne soit pas argenté, précise Lemon, mais il est quand même chouette.

— Merci. Je vais l'essayer dehors.

Je me lève. Gabby en profite pour prendre ma place. Je traverse le réfectoire en quatrième vitesse. Avec le sourire, au cas où Ike m'observerait. Je veux qu'il sache que j'apprécie son cadeau. Je sors du Fastfood, m'écarte de la porte vitrée, compte jusqu'à trente, rentre dans le bâtiment en me mêlant à un groupe de Pagailleurs…

… et me rue aux toilettes.

Un élève est en train de se laver les mains. Surtout, ne pas éveiller les soupçons. Je lui adresse un petit signe de la main, me faufile dans une cabine et attends qu'il s'en aille. Qu'est-ce que je vais raconter à Ike, lors de mon prochain entraînement, quand il verra que je n'ai pas mon anorak ? Je l'ai perdu ? On me l'a volé ? Lemon y a mis le feu sans faire exprès ?

L'eau s'arrête de couler. La porte des toilettes s'ouvre et se referme. J'enlève le verrou de la cabine, fais un pas en avant…

… et un pas en arrière.

Quelqu'un d'autre vient d'entrer dans les toilettes.

Devin. Le prof de musique. Le seul prof que je n'ai pas encore battu (à part M. Tempest).

Je retiens mon souffle et jette un coup d'œil par l'entrebâillement de la porte. Pour aller aux urinoirs, Devin va devoir passer devant moi. Mais apparemment, il n'a pas envie de se soulager. Il se plante devant un lavabo, prend une petite boîte blanche dans la poche de son jean et en sort du fil dentaire.

Je ne savais pas qu'on pouvait se nettoyer les dents aussi longtemps. Maman m'a appris qu'un bon brossage durait trois minutes – minimum. Devin, lui, passe trois minutes *par dent.* Bon. Je reviendrai plus tard. Je pose la main sur la porte, puis je réalise que Devin ignore que je suis là. Je n'ai pas fait de bruit. Si je sors, il va croire que je me suis enfermé pendant très longtemps, parce que j'étais… occupé. Il risque d'avoir une attaque en me voyant. Je pourrais peut-être le battre.

Oui, mais… est-ce que j'en ai vraiment envie ? Chaque fois, avec les autres profs, c'était un accident. Si je sors en criant : « Bouh ! » et que je lui flanque la frousse de sa vie, je deviendrai un vrai Pagailleur. Or, jusqu'à maintenant, je ne suis qu'un élève qui s'attire régulièrement des ennuis. Si je fais peur à ce prof *exprès*, je ne pourrai jamais retourner chez moi. Je serai trop mal à l'aise vis-à-vis de mes parents.

Soudain, je me souviens de la voix de Maman. Elle avait l'air si joyeuse, tout à l'heure, au téléphone ! Et Lemon avait l'air si content, quand il m'a montré ce téléphone !

Alors j'arrondis les lèvres.

Et je siffle.

C'est un sifflement bref et suraigu. Dans le réfectoire plein à craquer, personne ne l'aurait entendu. Mais dans les toilettes désertes, son écho se répercute sur le carrelage en porcelaine.

Comme je l'espérais, Devin lâche son fil dentaire, plaque la main sur son cœur et se retourne d'un bloc.

— Qui est là ?

Je me mords la lèvre pour ne pas sourire. Et me remets à siffler. Plus fort, pour que le prof pense que je me suis rapproché.

Il se précipite vers la première cabine et ouvre la porte à la volée. Personne. Deuxième cabine. Personne. Troisième cabine. Personne. Normal : je me suis mis à quatre pattes pour passer sous les cloisons. Et j'ai posé mon anorak par terre pour étouffer le frottement de mes genoux et de mes baskets. Toutes les dix secondes, je siffle. Devin s'arrête et s'élance vers moi, mais chaque fois, je disparais dans la cabine d'à côté.

Au bout d'un moment, il lève les bras au ciel et ramasse son fil dentaire. Il ouvre la porte des toilettes et lance :

— Bravo !

Et il s'en va en refermant la porte derrière lui.

Je compte jusqu'à vingt avant de sortir de la cabine, puis je me dirige vers la poubelle. Je roule l'anorak en boule, soulève le couvercle de la poubelle, et suspends mon geste. Je comptais me débarrasser de cet anorak. Pas parce qu'il vient d'Ike, mais parce qu'il est noir, et que tous les autres Pagailleurs en portent un argenté. Cet anorak ne ferait que me rappeler que je suis différent. Je ne pourrais jamais passer inaperçu. Or depuis mon arrivée à Kilter, j'ai tout fait pour me fondre dans la masse.

Mais aujourd'hui, quelque chose a changé.

Moi.

Alors je secoue l'anorak, l'époussette et l'enfile.

Chapitre 18

AVERTISSEMENTS : 1 260
ÉTOILES D'OR : 180

— Plastique ou inox ? me demande Ike.

J'examine les deux disques qu'il me montre. Le premier ressemble à un frisbee classique. Le deuxième, à la lame ronde de la scie d'un bûcheron, sans les dents.

— Inox.

Son sourire s'efface d'un coup :

— Je plaisantais. Les débutants commencent toujours par s'entraîner avec celui en plastique.

— J'ai envie de prendre des risques, pour une fois, je rétorque.

— OK. (Il me tend le disque argenté, mais recule la main.) T'es sûr que ça va ? T'es toujours sur ton petit nuage ?

— Mon petit nuage ?

— Avec Mlle Frigidaire Élinor.

Avant que je puisse lui expliquer que le seul nuage sur lequel je me suis retrouvé avec Élinor était tout boueux et ressemblait drôlement à une rivière, Ike poursuit :

— Le Froomsbee est un mélange entre le boomerang et le frisbee. C'est une arme super puissante, qui exige un contrôle parfait, tu peux provoquer des accidents avec.

— Je vais bien. Sérieux. Je veux juste m'amuser un peu et gagner des avertoches.

Ma réponse paraît satisfaire Ike, qui hoche la tête et me donne le Froomsbee. Je jette un coup d'œil de l'autre côté de l'abri de jardin. À un mètre cinquante de là, des Snipers de tous niveaux s'entraînent à donner des coups de batte de base-ball à des boîtes aux lettres indestructibles.

— Il faut que je touche un Pagailleur ou une boîte aux lettres ?

— Ni l'un ni l'autre. Les attaques aériennes sont plus efficaces quand on ne touche pas la cible. (Du menton, il désigne le banc de l'autre côté de la pelouse.) Va là-bas : tu vas voir.

Je me dirige vers le banc à petites foulées. La seconde d'après, un truc me frôle l'oreille droite en vrombissant. Je me donne une petite tape sur la joue. Les moustiques du pôle Nord sont très robustes… et surtout, très gros. Un deuxième passe tout près de mon oreille gauche. Je le chasse d'un petit mouvement de la main. Je me retourne et lève les yeux. Pas de moustiques. Pourtant, je les entends. Ils sont là, tout près. Ils font *bzz bzz* à trois millimètres de mes oreilles. Si ça continue, il y en a un qui va entrer dedans. *Bzz*. À droite. *Bzz*. À gauche. J'incline la tête sur le côté et sautille sur place, comme quand je me débouche les oreilles après avoir nagé sous l'eau.

Soudain, Ike me tape sur l'épaule. J'arrête de sauter. Je n'entends plus rien ; les moustiques ont dû partir.

— Tu t'es assis sur une pelote d'épingles ? me demande Ike.

Il est mort de rire.

— Je me suis fait attaquer par des...

En voyant le Froomsbee qu'il fait claquer contre sa cuisse, je comprends que je ne me suis *pas* fait attaquer par des moustiques.

— Waouh ! Comment t'arrives à faire ça ?

— Tout est dans le poignet. Non, je rigole : en fait, ça marche grâce au détecteur fixé sous le disque. (Il me montre un minuscle boîtier noir avec un bouton rouge.) Il suffit de l'enlever avant de lancer le disque, d'appuyer sur le bouton, et le Froomsbee reviendra vers toi automatiquement. C'est non polluant, et très déstabilisant.

Je retourne le disque argenté. Le boîtier est minuscule. Si Ike ne m'en avait pas parlé, je ne l'aurais pas remarqué.

— Alors le but, c'est de déstabiliser la cible sans la toucher ?

— T'as pigé. Il faut la faire tourner en bourrique. Si tu la touches, ça compte quand même, mais c'est moins drôle. (Ike recule en trottinant.) Le Froomsbee en inox est encore plus rapide. Entraîne-toi un peu ; tu vas vite prendre le coup de main.

Mes premiers lancers sont catastrophiques. Le disque passe à trois mètres de la tête d'Ike, ou va s'écraser par terre. Ce n'est pas si facile de récupérer le Froomsbee.

Il faut anticiper sa trajectoire retour et sa vitesse. Le mieux, c'est de le rattraper quand la cible tourne la tête. Sinon, on est découvert.

Je me concentre à mort pour progresser. Depuis Thanksgiving, je me donne à fond. Après une douzaine d'essais, Ike décrète que je suis prêt à essayer ma nouvelle arme sur les destructeurs de boîtes aux lettres.

On va se cacher derrière l'abri de jardin.

— Dix avertissements par tête qui se tourne, murmure mon tuteur.

Je choisis ma première cible : un Pagailleur du nom de Greg Pearlman. Il est grand, maigre, maladroit, et surtout, proche de moi. Je le regarde abattre sa batte de base-ball sur la boîte aux lettres avec difficulté – il faut dire que cette batte semble aussi lourde que lui. J'attends qu'il la ramène en arrière avant de lancer le Froomsbee.

Le disque lui frôle l'épaule droite. Il se retourne d'un bloc. Je serre le mini boîtier dans ma main : le disque vole en sens inverse et lui frôle l'épaule gauche. Greg se tourne dans l'autre sens, recule, trébuche, regarde autour de lui. J'ouvre l'autre main. Le disque vient se placer dedans avec un léger *paf*. Le contact du métal froid dans ma paume me plaît beaucoup.

— Et de vingt, chuchote Ike.

Une voix féminine s'élève derrière moi :

— Pas mal…

Je me retourne. Annika a arrêté sa voiture de golf à quelques mètres de l'abri de jardin et m'observe, la tête à l'extérieur.

— Merci.

— Merci à *toi*, réplique Annika en faisant un clin d'œil.

Elle salue Ike en posant deux doigts sur sa tempe, redémarre, s'arrête au niveau des destructeurs de boîtes aux lettres, leur donne deux ou trois conseils, puis repart et disparaît derrière une petite colline.

— T'es prêt ? interroge Ike.

Gonflé à bloc par le compliment d'Annika, je scrute la rangée de Pagailleurs. J'opte pour une cible un peu moins facile : Elias Montero. Il est aussi grand que Greg, mais plus costaud et plus musclé (quand tout le monde regarde la télé, lui fait des pompes et des abdos). Il n'a pas l'air du genre à s'affoler au moindre bruit.

Les apparences sont parfois trompeuses : mon Froomsbee tourne trois fois sur lui-même et revient dans ma main. Dix secondes plus tard, Elias est encore en train de chercher ce qui lui a frôlé la tête.

— Et de trente, murmure Ike avec un sourire jusqu'aux oreilles. Tes parents vont péter les plombs quand tu ramèneras ce truc chez toi.

Il n'aurait jamais dû dire ça. Et surtout pas au moment où j'effectue mon troisième lancer. Sa remarque m'a déconcentré – pas longtemps : un dixième de seconde – ; le disque argenté passe au-dessus des Pagailleurs et s'envole derrière la colline.

— C'est pas grave, me rassure Ike. Récupère-le et recommence.

Je serre le poing, les yeux fixés sur le sommet de la colline. Pas de Froomsbee. Je serre encore plus fort, plus longtemps. Rien. Je pose le boîtier dans ma main et appuie sur le bouton rouge avec le doigt.

Toujours rien.

— Il est peut-être hors de portée.

— Impossible, répond Ike en secouant la tête. Il a dû toucher quelque chose.

Aïe. Je me sens mal, tout à coup. Ike a voulu être sympa : il m'a laissé essayer le Froomsbee en inox, et maintenant, je l'ai perdu, ou peut-être cassé. Je dois réparer ça. Je fourre le boîtier dans ma poche et m'élance vers la colline.

— Je reviens !

Je traverse le champ au pas de course et fends la rangée de Pagailleurs en esquivant les coups de batte. Combien a coûté ce Froomsbee ? J'ai gagné cent avertissements en battant Devin, et cent de plus en faisant mes devoirs de la semaine. Ce qui me fait mille deux cent soixante avertoches. Et comme je n'appelle plus le Standard des Fayots, j'ai toujours cent quatre-vingts étoiles d'or. Je n'ai dépensé que vingt crédits en achetant l'Extincteur de Poche de Kilter. Il me reste donc mille soixante crédits. Ça devrait suffire pour acheter un autre Froomsbee en inox.

Je m'arrête au sommet de la colline et balaie des yeux le jardin qui s'étend de l'autre côté. Soudain, j'entends une voix familière :

— Mais pour qui elle se prend ? Où est-ce qu'elle se croit ? Nous essayons de l'aider, et elle, elle nous manque *totalement* de respect ! Nous l'avons acceptée parmi nous, alors que personne ne voulait d'elle !

Annika est en train d'aboyer dans un talkie-walkie. Elle descend comme une folle les marches d'un belvédère et remonte dans sa voiture de golf, qui s'éloigne dans un crissement de pneus.

Ça me fait bizarre de voir Annika en colère, mais ce

ne sont pas mes oignons. Je me dirige vers le jardin… et me fige. Le vent a tourné. J'ai cru entendre un bruit. Je tends l'oreille. Des branches craquent, des élèves discutent et rient…

J'ai sûrement rêvé. Je fais un pas en avant… et me fige de nouveau. Encore ce bruit ténu. On dirait quelqu'un qui chante. Et qui renifle.

Le bruit provient du belvédère d'où est sortie Annika.

Le Froomsbee attendra ; je veux voir qui se cache là-dedans. Je continue de descendre la pente (en marchant) et prends la direction du belvédère. En m'approchant, j'aperçois une longue tresse rousse entre les lattes du petit bâtiment. J'ai un coup au cœur. Vite. Faire demi-tour. Ce qui vient de se passer ne me regarde pas. Pourtant mes jambes ne m'obéissent pas : elles accélèrent toutes seules, montent les marches quatre à quatre et franchissent le seuil du belvédère.

— Ça va ? je demande dans un souffle.

Élinor lève les yeux, renifle et rassemble à la hâte les photos étalées autour d'elle. Il y en a des dizaines : quelques-unes sont en couleurs, la plupart, en noir et blanc. Élinor est en train de pleurer. Ses larmes brouillent les photos. Elle les fourre entre les pages d'un livre ouvert, le referme et appuie de toutes ses forces sur la couverture, comme si elle voulait faire disparaître les photos à tout jamais.

Au bout d'un moment, elle retire ses mains ; le livre se rouvre tout seul. Élinor se redresse, dénoue le ruban de satin vert attaché au bout de sa tresse et s'essuie les yeux avec. J'attends qu'elle me demande ce que je fabrique ici, et qu'elle me hurle de la laisser tranquille.

Mais elle se tait.

Très franchement, j'aurais préféré qu'elle me dise de partir. Ça m'aurait évité de rester planté là comme un idiot, à chercher un moyen de l'aider.

— M. Tempest n'est pas là, finit-elle par annoncer d'une voix blanche.

— M. Tempest ?

Élinor lève les yeux vers moi :

— Tes copains et toi, vous l'avez suivi toute la semaine, non ? Vous l'avez espionné pour essayer de voir où et quand vous pourriez le surprendre ?

D'emblée, trois réponses me viennent à l'esprit. Un : à part Lemon, ceux de la bande ne sont pas mes copains. Deux : si Élinor savait ce qui nous était arrivé, elle comprendrait qu'on n'est pas si malins que ça. Mais comme je préfère la troisième réponse, je m'avance vers elle et déclare :

— C'est toi que je cherchais. Pas M. Tempest.

Alors là, bravo. Plus ringard, y a pas. On dirait que je répète un dialogue pour un film romantique à deux balles. Seulement, j'ai dit ce que je pensais. En plus, les traits d'Élinor se sont un peu détendus.

Comme je ne veux pas qu'elle s'enfuie en courant, je m'assieds assez loin d'elle. On reste là, sans rien dire, à regarder autour de nous. Le belvédère est entouré par des buissons de haute taille. C'est l'hiver, toutes les feuilles sont tombées, mais on se sent malgré tout protégé, hors du temps. Des petites lampes sont accrochées au plafond. Elles illuminent le belvédère d'un halo blanc rassurant dans la grisaille du crépuscule. L'endroit est calme. Douillet. Idéal pour un rendez-vous entre un ringard et une jolie fille.

— Elle est furieuse contre moi, lâche Élinor.

Retour à la réalité.

— Qui ?

— Annika. Elle pense que je ne travaille pas assez. Que je n'ai pas envie d'être ici.

— Tu ne te plais pas, ici ?

Haussement d'épaules.

— Il y a pire, comme endroit.

Je décide que je lui demanderai une autre fois ce qu'elle entend par là.

— Elle dit que si je ne me mets pas sérieusement au boulot, j'en subirai les conséquences.

— Ça veut dire que tu pourrais te faire virer ?

Élinor hoche la tête. Les images de nos rencontres défilent à toute allure : elle s'assoit en face de moi, au Fastfood... elle regarde par la fenêtre, en cours de maths... elle lit sur le banc, dans le jardin... elle me surprend dans la régie du Pavillon des Spectacles... elle reste à la traîne pendant qu'on monte au Pic d'Annika... Thanksgiving, où tout le monde reçoit des cadeaux, sauf elle. Élinor est toujours silencieuse. Et presque toujours seule.

— Tu veux vraiment rentrer chez toi ?

Elle serre le livre contre sa poitrine et pose le menton dessus.

— Pour ça, il faudrait que j'aie un chez-moi.

Du moins, c'est ce que j'ai entendu. Elle a prononcé ces mots si vite et si bas que le vent les a emportés à la seconde où ils ont franchi ses lèvres.

— Et si j'allais parler à Annika ?

— De quoi ?

— Je sais pas, moi... de... de ta situation. Peut-être que j'arriverais à la convaincre de te lâcher un peu.

D'un coup, ses yeux cuivrés prennent une couleur glacée.

— Et pourquoi elle écouterait ce qu'un première année aurait à lui raconter ?

Parce que je suis un Pagailleur-né doublé d'un assassin. Et parce que, maintenant que je me suis mis sérieusement au boulot, Annika doit être super contente de moi.

Élinor se lève d'un bond et traverse le belvédère d'un pas rapide, le livre serré contre son cœur.

— Laisse tomber, fait-elle. Je m'en fiche.

Je me précipite à sa suite.

— Attends ! T'en va pas ! Je ne voulais pas me mêler de tes affaires, je voulais juste t'aider !

Elle s'arrête sur le seuil du belvédère. L'espace d'une seconde, je crois qu'elle va se retourner et me remercier, mais elle garde le dos tourné.

— Il va courir.

Décidément, cette fille a le chic pour me déstabiliser.

— Qui ça ?

— M. Tempest. Toutes les nuits, à minuit pile, quand tout le monde dort, il va courir. Il part du Fastfood et fait trois fois le tour du jardin.

— Comment tu...

Je n'ai pas le temps de lui demander : « Comment tu le sais ? » car elle est partie avant que j'aie fini de formuler ma question.

Je dois me raisonner pour ne pas la suivre : elle a envie de rester seule. Je décide donc d'attendre un peu avant de rejoindre Ike (qui, lui, ne m'a sûrement pas attendu). Je me rassieds et sors mon K-pad de mon cartable pour lire mes k-mails, quand soudain, une bourrasque écarte les branches de l'arbre. Un rai de soleil traverse le belvédère et vient frapper un bout de papier à mes pieds. Je ne l'avais pas remarqué. Je le ramasse pour l'examiner.

C'est une photo. Deux jeunes filles font du cheval sur la plage. L'une d'elles a de longs cheveux bruns. Sa tête me dit vaguement quelque chose. Je plisse les yeux. On dirait Annika, quand elle était ado. L'autre fille semble un peu plus jeune. Ses cheveux sont plus sombres. Elle aussi me rappelle quelqu'un. Peut-être que c'est une prof, ou un membre du personnel de Kilter.

Et brusquement, c'est le déclic. Je sais pourquoi ce visage m'est familier. Heureusement que je suis appuyé contre le mur du belvédère, sinon, je serais tombé à la renverse.

Les yeux de cette fille, sur la photo.

Ils ont une douce teinte cuivrée.

Chapitre 19

AVERTISSEMENTS : 1 390
ÉTOILES D'OR : 180

Moi :

— C'est une mauvaise idée.

Abe :

— Je suis pas d'accord.

Moi :

— C'est trop compliqué. Et même, dangereux.

Gabby :

— Pas si tout se passe comme prévu. Et tout va se passer comme prévu.

Moi :

— Qu'est-ce que t'en sais ?

Lemon :

— On n'en sait rien. Mais on est parés.

Il me tend un talkie-walkie. Je me rassois sur le lit et

regarde ma bande de copains se préparer. Six jours se sont écoulés depuis l'épisode du belvédère. C'est le temps qu'il nous a fallu pour mettre au point notre stratégie. Objectif : battre M. Tempest. Avec le scoop que m'a révélé Élinor, on a nos chances. Bien sûr, j'ai un peu déformé la vérité : j'ai raconté à Lemon que j'avais surpris une conversation entre des troisième année pendant le petit déjeuner. D'après eux, notre prof d'histoire ferait son jogging en pleine nuit. Lemon a voulu confirmer l'information. Il a suivi M. Tempest le soir même, en se cachant derrière un rocher, un buisson, puis une poubelle. Le lendemain matin, l'alliance se rassemblait pour une réunion extraordinaire. Depuis, on essaie d'élaborer un plan d'attaque.

Enfin... Lemon Abe et Gabby élaborent. Moi, j'écoute. Parce que je ne peux m'empêcher de penser à Élinor, qui ne m'a pas adressé la parole depuis l'épisode du belvédère.

— Tu veux que je récapitule le plan ? me demande Lemon.

Ça ne servira à rien, mais je hoche la tête quand même. Peut-être que les autres comprendront que ce plan ne tient pas la route.

Lemon pointe l'antenne de son talkie-walkie vers la carte du collège qu'il a scotchée sur la porte du placard de notre chambre. Il a tracé le parcours de M. Tempest au marqueur fluo, et a collé quatre étoiles argentées à intervalles réguliers.

— Le circuit fait trois kilomètres. Gabby sera postée au kilomètre numéro un, énonce-t-il en désignant la première étoile argentée. Dès qu'elle entendra Mister

Mystère, elle bondira hors de sa cachette et lui fera le coup des yeux du martien hypnotiseur.

À ces mots, la lumière s'éteint. Une paire d'yeux verts luisants avance dans l'obscurité en montant et en descendant, comme s'ils étaient suspendus par un fil invisible.

— C'est archi flippant, ricane Abe. Mister Mystère va avoir la trouille de sa vie.

La lumière se rallume.

— Lentilles de contact phosphorescentes, explique Gabby en clignant des paupières. Merci, l'Arsenal !

— Le but, c'est qu'il soit déstabilisé jusqu'à ce qu'il atteigne le kilomètre numéro deux, continue Lemon en montrant une autre étoile argentée avec son talkie-walkie.

— C'est là que j'interviens, déclare Abe en posant une main sur sa poitrine. Mister Mystère entrera dans « l'Abe-rinthe » : un labyrinthe terrifiant, encombré de branches et de rochers.

Lemon enchaîne :

— S'il s'en sort (ce qui est très probable ; n'oublions pas qu'on a affaire à Mister Mystère), il lui restera cinq cents mètres à parcourir avant d'arriver au boulevard des Bombes Incendiaires, parsemé de pétards et de feux d'artifice. De quoi le déboussoler un bon moment... jusqu'à ce qu'il entre dans la cour du Fastfood, où Seamus profitera de son état de faiblesse pour l'achever.

— Génial, commente Abe.

— Super, ajoute Gabby.

J'interviens :

— Et les Bons Samaritains ?

Lemon hausse les sourcils :

— Quoi, les Bons Samaritains ?

— S'ils nous attrapent, on risque de se faire punir pendant un mois. (Je lance à Abe un regard lourd de sens.) Et en un mois, les autres Pagailleurs auront largement le temps de nous passer devant.

Abe plisse le front. J'ai marqué un point. Mais Lemon argumente :

— On est vendredi. Le vendredi, c'est soirée karaoké, et Mister Mystère n'y va jamais. Les autres sont soit au lit, soit en train de chanter. Mon tuteur m'a dit que les BS adoraient le karaoké. Ils ne devraient pas nous poser de problème.

— Oui, mais comment tu peux être sûr que Mister Mystère empruntera ce trajet-là ? Qu'est-ce qu'on fait s'il décide de changer d'itinéraire ?

Lemon pose son talkie-walkie, s'empare d'une boîte en plastique et plante vingt-quatre épingles à tête rouge autour du tracé jaune fluo.

— J'ai enterré des explosifs qui se déclencheront dès que quelqu'un de plus de soixante-dix kilos posera le pied dessus, explique-t-il. Ils sont petits, mais super efficaces. À mon avis, Mister Mystère pèse entre soixante-quinze et quatre-vingts kilos. (Lemon se retourne vers nous.) D'autres questions ?

Abe se lève d'un bond.

— Oui : on y va ?

Puis il me donne une grande claque dans le dos en s'exclamant :

— T'inquiète, Hinkle : on va juste lui faire peur, pas le tuer.

Dans le miroir fixé au-dessus de la commode de Lemon, je vois mon visage pâlir d'un coup.

Abe sort dans le couloir. Gabby le suit en sautillant et me lance :

— Pense à tous les trucs trop cool qu'on va pouvoir s'acheter !

— T'es sûr que ça va ? me demande Lemon une fois que Gabby et Abe se sont éloignés.

Je me lève et enfile mon anorak.

— Ben ouais, pourquoi ?

— T'avais l'air de trouver notre plan béton, jusqu'aujourd'hui. Qu'est-ce qui te prend, tout à coup ?

Je choisis mes mots avec soin :

— Rien. J'ai juste... quelques problèmes. Enfin... un gros problème. Avec un grand P.

Lemon écarquille les yeux. Ça y est. Je l'ai vexé. Il doit croire que je suis jaloux parce que c'est son plan, et pas le mien. Il se trompe. Comment pourrais-je lui expliquer... ?

— C'est par-fait !

Tout sourire, Lemon attrape un marqueur noir sur son bureau et écrit « LE GRAND P » en haut de la carte. Il recule d'un pas, admire son œuvre pendant quelques secondes et se tourne vers moi :

— Qu'est-ce que t'en penses ? Plutôt sympa, hein ?

Je pense que le nom de cette bande (pour lequel on s'est disputés au moins cinquante fois) est le dernier de mes soucis. Mais « Le Grand P » est la meilleure proposition qu'on ait faite.

— Ça sonne super bien.

Il m'adresse un large sourire et brandit le poing. Je tape dedans avec le mien. Puis, Lemon redevient sérieux :

— Mister Mystère est super fort, mais c'est le dernier obstacle. Si on arrive à le battre, le reste sera du gâteau.

Bizarrement, cette remarque me rassure. Lemon prend la boîte à chaussures pleine de combustibles posée sur son bureau, et j'attrape mon sac en toile rempli d'armes et de munitions.

Direction : le jardin.

23 h 30. Il fait nuit noire. Pas une lumière, pas un bruit. Lemon commence par annoncer qu'on a trouvé un nom pour la bande. Abe et Gabby se plaquent les mains sur la bouche pour étouffer leurs cris de joie.

Et c'est parti. On traverse la cour en silence, s'arrête de l'autre côté du pont qui enjambe le ruisseau et on observe attentivement le jardin. Épaule contre épaule. À l'affût du moindre mouvement. J'attends un ultime conseil, une instruction de dernière minute... mais Lemon se contente de lâcher :

— On se retrouve au point de rendez-vous.

Et chacun part de son côté.

En avant. Cap sur le toit du Fastfood. Je repense à ce qui s'est passé dans la chambre : pourquoi ai-je hésité ? Sans doute parce que je ne croyais pas qu'on irait aussi loin. Quand j'ai vu dans quoi on s'était embarqués, j'ai songé à toutes les conséquences. Surtout, j'ai hésité à cause d'Élinor. Depuis le coup de fil à mes parents, j'ai joué mon rôle de Pagailleur sans me soucier de ce que les gens pourraient ressentir. Mais en voyant Élinor pleurer sous ce belvédère, si seule, si triste, j'ai repensé à Mlle Parsippany. Je crois que c'est ce qu'elle a éprouvé, ce jour-là, à la cantine : de la tristesse et de la solitude. Elle ne connaissait personne. Elle a voulu bien faire, et elle s'est mise en danger. Et maintenant, je pense à M. Tempest. Lui aussi est tout le temps seul.

Ce n'est pas parce qu'il enseigne à Kilter depuis longtemps qu'il n'est pas malheureux. On est sur le point de lui pourrir la vie. Et pour gagner quoi ? Quelques avertissements bonus ? Une journée shopping à l'Arsenal ?

« T'inquiète, Hinkle : on va juste lui faire peur, pas le tuer. »

La voix d'Abe résonne encore dans mon esprit. Je secoue la tête pour la faire taire. Je monte en vitesse l'escalier extérieur qui mène sur le toit du Fastfood. Dans le silence de la nuit, les semelles de mes bottes font un boucan incroyable. Je m'arrête, écoute, regarde autour de moi. J'ai dû réveiller la moitié du collège. Au bout de quelques secondes, comme le jardin reste désert, je continue de grimper. Moins vite, et plus discrètement. Une fois en haut des marches, je tourne à droite, rentre la tête dans les épaules et pique un sprint jusqu'à la murette en pierre en face de moi. J'ouvre mon sac en toile et aligne mes armes sur le toit : l'arc, les flèches, les bombes à eau, et le Froomsbee (qu'Ike est allé récupérer dans un arbre pendant que je discutais avec Élinor). Puis j'épaule le Barbouilleur 1000 de Kilter et me mets en position.

Soudain, le talkie-walkie grésille dans la poche de mon anorak :

— Orange à Grand P. Vous me recevez ?

— Je te reçois.

— Moi aussi, dit Gabby.

— Cinq sur cinq, dit Abe.

— Tout va bien ? interroge Lemon. Parés à passer à l'action ?

On confirme.

— Génial. Restez en contact.

Pendant plusieurs minutes, rien ne se passe. Je reste accroupi derrière le muret, les yeux fixés sur la cour en contrebas. Toutes les dix secondes, je souffle sur mes mains pour les réchauffer. Je vise un rocher, un arbre, et je fais semblant de tirer. Je regarde ma montre. Chaque fois que la trotteuse achève un tour de cadran, je sens les battements de mon cœur s'accélérer.

Mister Mystère apparaît à minuit pile, jogging noir, baskets argentées et cache-oreilles.

— Cible en vue, je murmure dans le talkie-walkie.

— Super ! chuchote Lemon.

J'observe M. Tempest s'étirer. Il se penche sur sa jambe gauche, puis sur la droite. Tourne le buste d'un côté, de l'autre. Se plie en avant et en arrière. Trottine sur place. Il a le dos tourné. Il ne se doute absolument pas que je suis sur le toit. Je pourrais lui tirer dessus là, tout de suite, sans aucun problème. Une seule balle de paintball et paf ! l'affaire serait réglée. Mais pour que toute la bande gagne des avertissements, il faut que tout le monde participe. En plus, je n'ai pas envie d'assumer tout seul les conséquences de ce qu'on s'apprête à faire.

Alors j'attends.

Lorsque Mister Mystère commence à courir, j'annonce à voix basse :

— Cible en mouvement.

— Bien reçu, murmure Lemon. Gabby ?

— Amène-toi, coco, répond-elle la voix rauque à cause de l'excitation.

Coco met neuf minutes à s'amener. Cinq cent quarante secondes, pendant lesquelles je retiens ma respiration. Puis, mon talkie-walkie crépite. Je fais un bond de deux mètres de haut

— Cible en approche, chuchote Gabby. Attaque dans cinq... quatre... trois... deux... un... maintenant !

La tension est à son comble. Je suis sur le point de craquer. J'écoute, l'oreille scotchée au talkie-walkie... mais je n'entends rien. J'ai l'impression d'attendre pendant une heure. J'attrape le talkie à deux mains et le brandis devant moi, comme s'il s'était soudain transformé en écran.

Tout ce que j'entends, c'est : crrr... crrr... crrr...

Puis plus rien.

Crrr...

— Gabby ? T'es toujours là ? demande Lemon

Le silence s'installe. Et dure. Longtemps.

Je colle le talkie-walkie contre mon oreille et le secoue.

— Je

Mon cœur rate un battement. C'était la voix de Gabby.

— Je peux pas... crrr... crrr...

— Qu'est-ce qui se passe ?

Ça, c'était Lemon. Et il avait l'air drôlement inquiet.

Le silence s'installe. Et dure. Longtemps.

Enfin, un bruit bizarre, entre le hoquet et le pleurnichement :

— Il s'est passé un truc, fait Gabby.

— Un truc ? *Quel truc ?* explose Lemon.

Petit gémissement :

— Je... j'y vois plus rien !

— Comment ça : t'y vois plus rien ? Qu'est-ce que...

— Il arrive, le coupe Abe. Encore dix mètres. Pas de panique : le mystère Mister Mystère sera résolu dans cinq... quatre... trois...

Crrr...

J'étouffe un cri :

— Non !

Je serre le talkie à m'en faire blanchir les phalanges. Trois secondes plus tard, Abe reprend :

— Je vais bien...

Tout l'air contenu dans mes poumons s'échappe d'un seul coup.

— ... mais je suis prisonnier !

J'arrête à nouveau de respirer.

— Explique-toi ! lui ordonne Lemon.

— Je suis coincé sous les branches et les rochers ! Mister Mystère m'a pris à revers et m'a piégé dans mon propre labyrinthe ! J'ai rien de cassé, mais... je peux plus bouger !

— T'inquiète, tente de le rassurer Lemon d'une voix un peu tremblante. Il n'arrivera pas à traverser mon champ de mines sain et sauf. N'essaie pas de te sortir de là tout seul : tu risques de te faire mal. On viendra te délivrer après. Gabby : tu peux revenir à l'entrée du jardin ?

— Je crois que oui, renifle-t-elle. Mes yeux piquent un peu moins, maintenant.

— Attends-nous là-bas, lui intime Lemon. (Une pause.) Seamus ?

Mon pouce enfonce la touche du talkie au ralenti. J'avale la boule qui s'est logée au fond de ma gorge avant de répondre :

— Je suis là.

— Super. (Lemon laisse passer une poignée de secondes avant de reprendre d'une voix grave :) Prépare-toi. Ça va aller très vite.

Il aurait pu me dire : « On va tous mourir », ça m'aurait fait exactement le même effet.

Le cœur tambourinant, je pose le talkie sur la murette. Fourre deux bombes à eau dans les poches de mon anorak. Lève le Barbouilleur 1000 de Kilter. Balaie la cour et la pelouse des yeux. Quelques secondes plus tard, le vent m'apporte une odeur de fumée. Plusieurs explosions retentissent. Heureusement que Lemon avait prévu les pétards souterrains.

J'ajuste le fusil contre mon épaule. Mon regard glisse le long du canon luisant et effilé. Je serre les doigts pour m'empêcher de trembler. Pour me rassurer, je murmure :

— Tu es un tireur d'élite. Un tireur d'élite *super entraîné*. Tu peux le faire.

L'odeur de fumée s'intensifie. Les minutes s'étirent comme un élastique. C'est beaucoup trop long. Lemon a mis le paquet, avec ses pétards. Et s'il avait blessé Mister Mystère ? À la seconde où je me fais cette réflexion, une silhouette vêtue de noir émerge du petit bois.

Je ferme un œil et pose l'index sur la gâchette.

— Cible verrouillée.

— ON SE REPLIE !

Je rouvre l'œil et me tourne vers le talkie-walkie.

— Tu me reçois ? crie Lemon. On abandonne la mission !

— Pourquoi ? beugle Abe. Qu'est-ce qui se passe ?

— Mister Mystère a mis le feu à mon matériel ! Mes

extincteurs ont explosé ! Je vais chercher de l'aide avant que l'incendie se propage !

BOUM ! Un claquement. Là, juste derrière moi. Je sursaute. Mon fusil m'échappe des mains, heurte la murette et va s'écraser sur les dalles de la cour, six mètres plus bas. Je me retourne brusquement. Vite. Mes autres armes. L'arc et les flèches... disparus ! Le Froomsbee... envolé ! Les bombes à eau... plus là ! Il ne reste que le sac en toile. Vide.

Soudain, la voix de Gabby retentit dans le talkie :

— Euh... les gars ? Je ne veux pas vous affoler, mais si les Bons Samaritains sont à la soirée karaoké... qui est-ce qui va éteindre le feu ?

Je m'empare du talkie-walkie et m'élance vers l'escalier.

— J'arrive aussi vite que je peux !

Je dévale les marches et traverse la cour en quatrième vitesse. Tout à coup, j'aperçois une lueur, dans mon angle mort. Une lumière sourde, qui provient de l'intérieur du Fastfood.

Je ne me rappelle plus très bien ce qui s'est passé ensuite. Tout ce que je sais, c'est que j'étais en train de voler à la rescousse du Grand P, et que la seconde d'après, je me suis retrouvé dans la salle à manger.

M. Tempest est assis à la table des profs, sur la chaise d'Annika, les pieds croisés sur la table. Ses baskets argentées brillent à la lueur d'un feu de cheminée. Il tient un verre d'eau dans une main, et un cigare dans l'autre. Il me tourne le dos. Mes armes sont posées par terre, au pied de la chaise. Toutes les cinq secondes, il tire une bouffée de cigare et lâche un petit ricanement.

Tout doucement, sans quitter sa nuque des yeux,

j'enfonce les mains dans les poches de mon anorak. Concentration maximale. Puis, je m'aperçois que mes poches sont toutes mouillées. Les bombes à eau ont dû exploser pendant que je courais.

Réfléchir. Vite. Pas moyen de récupérer mes armes : je serais aussitôt repéré. Pas le temps d'aller en chercher d'autres : je risque de me faire attraper. Plus qu'une solution : essayer de battre M. Tempest avec ce que j'ai sous la main.

Une pomme.

Une pomme jaune, qui traîne par terre, derrière la poubelle.

Une pomme jaune à moitié mangée, oubliée par l'équipe de nettoyage.

Je la ramasse, m'ordonne de ne penser qu'à Lemon, Élinor, Abe, Gabby et moi. Surtout pas à Maman, à Papa, ni à Mlle Parsippany. Je plie le bras vers l'arrière, me concentre sur le « K » argenté brodé sur la veste de M. Tempest… et tire.

La pomme touche le « K », à l'endroit où la petite barre horizontale rencontre la barre verticale. M. Tempest pousse un cri de stupeur et s'effondre sur la table. Son verre explose sur le sol. Son cigare tombe dans la flaque d'eau et s'éteint en grésillant.

En plein dans le mille.

M. Tempest ne bouge plus. Je n'ose pas remuer un cil.

Voilà. J'ai recommencé. Sauf que cette fois, je l'ai fait exprès.

J'avance d'un pas. Je vois le buste de M. Tempest se redresser, et son dos se dérouler, vertèbre après vertèbre.

Je l'entends prendre une profonde inspiration. Expirer au ralenti. Et déclarer d'une voix égale :

— Félicitations, monsieur Hinkle. Vous pouvez être fier de vous.

Et vous savez quoi ? Je suis *vraiment* très fier de moi. Ça faisait une éternité que ça ne m'était pas arrivé.

Chapitre 20

AVERTISSEMENTS : 1 910
ÉTOILES D'OR : 180

Quelques jours plus tard, juste avant le dîner, on frappe à la porte de la chambre. Lemon et moi sommes en train de travailler. On a un dessin à rendre en arts plastiques. Je vais ouvrir la porte… et manque de la refermer aussitôt. Un Bon Samaritain. Là, debout sur le seuil.

Je lui montre mon dessin : un chat avec des griffes à la Wolverine et des dents de vampire. Les arts plastiques, ce n'est pas ma matière préférée, mais Wyatt nous a demandé de dessiner un truc effrayant, qui ferait piquer une crise à nos parents si on l'accrochait sur la porte du réfrigérateur.

On fait nos devoirs.

Le Bon Samaritain se penche pour examiner mon dessin.

— Beau travail, commente-t-il. J'aime bien les nuances.

Je baisse le bras. Le BS reste planté là, le dos droit.

— Veuillez me suivre, tous les deux, s'il vous plaît.

Lemon se lève d'un bond.

— Il y a un problème ?

— Pas encore, répond le BS. Mais si j'étais vous, je ne ferais pas attendre Annika.

Je jette un coup d'œil à Lemon, qui hausse les épaules. On se chausse, on attrape nos anoraks et on sort du dortoir. Le BS nous ordonne de monter dans une voiture de golf garée devant le bâtiment. Abe et Gabby sont à l'intérieur.

— Vous savez ce qui se passe ? demande Abe.

— Non, mais on ne va pas tarder à le savoir, réplique Lemon.

Il y a encore des sièges libres dans la voiture, mais le BS démarre sans attendre d'autres Pagailleurs. Nous traversons la cour à toute allure, passons devant le Fastfood et l'Arsenal, et nous enfonçons dans les bois. Dix minutes plus tard, nous nous arrêtons devant un bâtiment que je n'ai jamais vu.

— C'est quoi ? veut savoir Gabby. Une autre école ?

On dirait bien. C'est une bâtisse de trois étages en bois et en pierre, entourée de conifères immenses. La porte d'entrée, en forme d'arcade, fait penser au pont-levis d'un château. Ce qu'il y a derrière doit être super important. Et super officiel.

Comme Annika.

La porte s'ouvre au ralenti. Annika apparaît dans l'encadrement. Derrière elle, j'aperçois un immense miroir qui va du sol au plafond.

— Bonsoir, les Pagailleurs ! chantonne-t-elle. Bienvenue chez moi !

Abe, Gabby, Lemon et moi sommes stupéfaits.

— Vous habitez ici ? demande Gabby.

— Pour de vrai ? ajoute Abe.

— Pour de vrai, affirme Annika avec un sourire. (Elle fait un pas de côté.) Qu'est-ce que vous attendez pour entrer ?

On attend que nos pieds se décollent du sol. Le Bon Samaritain donne un petit coup de coude à Lemon, qui trébuche et manque de s'étaler par terre. Il se rattrape et pénètre dans la maison. Alors, on se décide à le suivre.

— Vous voulez boire quelque chose ? s'enquiert Annika en refermant la porte.

À ces mots, un homme en costume blanc et nœud papillon argenté arrive en poussant une desserte chargée de bouteilles d'eau, de jus de fruits et de canettes de soda.

On choisit une boisson chacun et on suit Annika le long d'un couloir qui me paraît interminable. Je jette un coup d'œil par les portes ouvertes qui défilent. Un bureau... une bibliothèque... des salles de conférence. Toutes ces pièces sont claires et spacieuses. Ce qui m'étonne, parce que de l'extérieur, la maison semble avoir au moins cent ans. Annika a dû la faire rénover avant de s'y installer.

Le couloir débouche sur une grande salle à manger donnant sur un lac aux eaux turquoise entouré d'une pelouse verdoyante. Une gigantesque table en verre trône au milieu de la pièce. On pourrait y asseoir trente personnes, mais il n'y a que cinq couverts. Un serveur en costume blanc et nœud papillon argenté se tient derrière chaque chaise. Dans un coin de la pièce, une femme d'un certain âge joue un air sur un piano blanc.

— Où souhaitez-vous que je les prenne ? interroge une voix derrière moi.

Je me retourne. Encore un serveur. Celui-là porte un appareil photo autour du cou.

— Près de la fenêtre, lui répond Annika.

Le photographe nous fait signe de nous placer de l'autre côté de la table.

— Allez, on se tient droit et on sourit ! s'exclame Annika.

On lui obéit. Le photographe nous mitraille : il prend des photos individuelles puis il immortalise le Grand P au grand complet avant de quitter la pièce. Ensuite, les serveurs tirent les chaises et nous invitent à nous asseoir. Je regarde mes copains. On a tous le sourire, on est contents d'être là, mais... mais on ne sait pas vraiment *pourquoi* on nous a fait venir.

Annika finit par nous expliquer :

— En général, je n'invite jamais les Pagailleurs de première année. C'est un privilège que je réserve aux quatrième année qui ont fait leurs preuves et qui sont prêts à vivre leur vie de Pagailleurs professionnels. (D'un geste, elle ordonne à un serveur d'ouvrir la bouteille qui se trouve dans un seau à glace argenté.) D'habitude, les élèves ne viennent jamais chez moi avant la fin du deuxième trimestre. (Le serveur débouche la bouteille.) Savez-vous pourquoi j'ai fait une exception, aujourd'hui ?

— Parce qu'on a battu M. Tempest ? propose Abe.

— Pour ça, vous avez gagné des avertissements bonus. Mais tu es sur la voie.

— Parce qu'on l'a battu sans blesser personne ? suggère Gabby.

C'est très possible : l'autre nuit, Lemon est allé

chercher les Bons Samaritains en moins de trois minutes chrono, Abe est sorti de sous les rochers sans une égratignure, et le gaz incapacitant que Gabby a reçu dans les yeux ne l'a pas rendue aveugle.

— Vous chauffez... D'autres idées ?

On cherche. Mais on ne trouve pas.

— Seamus a lancé la pomme, lâche finalement Annika.

Je sens mes joues devenir brûlantes. Je vide mon verre d'eau d'un trait. Ainsi que les deux suivants, que le serveur me verse coup sur coup.

— Techniquement, c'est grâce à lui que M. Tempest a été vaincu, poursuit Annika. Mais vous avez tous gagné des avertissements bonus parce que vous avez travaillé en *équipe*.

Je réfléchis. Équipe, bande, alliance... quelle différence ?

Annika continue :

— Vous le savez : à Kilter, on récompense le travail individuel. L'esprit de compétition est une chose saine. Il pousse les élèves à travailler encore plus dur et à se dépasser. On n'encourage le travail d'équipe que bien plus tard. Certains Pagailleurs n'y parviennent jamais. D'autres essaient, mais font souvent passer leurs propres intérêts avant ceux du groupe.

Je tends au serveur ma flûte à champagne, qu'il remplit de cidre.

— Votre plan était risqué et très compliqué, enchaîne Annika. C'est un miracle qu'il ait fonctionné. D'ailleurs, il a bien failli échouer. Chacun de vous aurait pu laisser tomber les autres à tout moment... mais personne ne l'a fait. En agissant ainsi, vous avez fait preuve d'un talent et d'une maturité admirables pour des enfants de votre âge. (Elle lève son verre.) Je voudrais porter un toast.

Lemon et moi échangeons un sourire joyeux et levons nos verres. Face à nous Abe et Gabby nous imitent.

— Aux quatre meilleurs première année que Kilter ait jamais accueillis ! s'exclame Annika. Que votre carrière soit longue et couronnée de succès !

On trinque au prix de quelques acrobaties. Je me penche au-dessus de la table, allonge le bras et fais tinter mon verre contre ceux d'Abe et de Gabby. On boit notre cidre en regardant les serveurs apporter des plateaux d'argent.

— Pour fêter ça, mes cuisiniers vous ont préparé vos plats préférés, dit Annika. Vos photos seront exposées dans le Pavillon des Spectacles, sur le Mur des Stars de l'académie Kilter. Et surtout – surtout – vous allez maintenant pouvoir réaliser le rêve de tous les élèves des première, deuxième et troisième année.

— On va pouvoir se payer tout ce qu'on veut à l'Arsenal ? s'enthousiasme Abe.

Je me rends compte qu'avec les cinq cents avertissements que j'ai gagnés en battant Mister Mystère, je peux désormais m'offrir ce que je veux.

Annika se tourne vers chacun de nous et nous adresse un sourire.

— Mieux : vous pouvez me poser une question. Mais une seule, alors choisissez bien.

Tout le monde se tait. Le piano résonne dans la salle à manger. J'ai même l'impression qu'on a monté le son. Au bout d'une minute, Lemon interroge :

— Une question sur quoi ?

— Sur ce que vous voulez, répond Annika en

haussant les épaules. Sur moi, sur vos professeurs, sur les élèves, sur la pagaille en général... Par contre, je me réserve le droit de ne pas répondre.

Gabby lève le doigt.

— Oui ?

— Est-ce que quelqu'un s'est déjà fait tuer ?

J'avale de force le cidre que j'ai dans la bouche. Il me brûle la gorge. Pour ne pas m'étouffer, je bois un grand verre d'eau.

— Tu veux dire : est-ce qu'un élève s'est fait tuer pendant l'entraînement ? précise Annika.

Gabby acquiesce.

— Non. Question suivante !

J'ai envie de demander : « Et *en dehors* de l'entraînement ? » Mais je ne veux pas gaspiller ma question.

— Quel talent doit avoir un Pagailleur pour être le meilleur ? interroge Lemon.

Annika prend le temps de manger une fourchette de salade avant de répondre :

— La patience.

— C'est pas un talent, ça, objecte Abe.

— Si tu étais un peu plus patient, tu réfléchirais avant de dire ça, riposte Annika. (Elle se tourne vers Lemon :) Peu importe le talent. Ce qui compte, c'est ce qu'on en fait. Utiliser son talent avec intelligence et efficacité implique qu'on connaisse les conséquences et les risques éventuels. Et on ne peut pas les connaître sans un minimum de patience.

Je réfléchis là-dessus en mangeant mon poisson pané (qui est encore plus fondant et plus savoureux que celui du Fastfood). Avant que je puisse décider si je suis patient ou pas, Abe lève le doigt.

— Je t'écoute, lui dit Annika.

— On a bien le droit de poser une question sur les autres Pagailleurs ?

— Tout à fait.

— Super. Parce qu'il y a une question que je meurs d'envie de poser depuis des semaines.

Un long, très long silence s'installe. Je lève les yeux. Abe me dévisage avec un grand sourire, qui s'agrandit quand il demande :

— Si, à Kilter, on aime tant la compétition, et si vous acceptez si peu d'élèves chaque année... pourquoi avez-vous accepté Hinkle un mois après la rentrée ?

Je me lève comme si un serpent m'avait mordu les fesses. Le dossier de ma chaise percute le serveur, qui recule en titubant.

— Euh... pardon. Où sont les toilettes ?

— Suivez-moi, m'intime le serveur.

— Laissez tomber. Je trouverai tout seul.

Je contourne la table et sors de la pièce en courant. J'ai beaucoup trop bu. Il faut *vraiment* que j'aille aux toilettes. Mais la vérité, c'est que je refuse d'entendre la réponse d'Annika. Je dois mettre le plus de distance possible entre elle et moi. Même si je sais que ça ne changera rien. Je longe le couloir de tout à l'heure, grimpe le large escalier qui mène au premier étage, me précipite dans la première pièce que je vois et referme la porte derrière moi.

Fermer les yeux. Poser le front contre la porte. Inspirer... Expirer... Inspirer... Expirer...

Voilà. Ça va un peu mieux. Je me retourne. Zut. Je ne suis pas aux toilettes. Je me trouve dans une chambre de fille, avec des meubles blancs, une tapisserie à fleurs, un couvre-lit rose, des coussins violets et des animaux en peluche. Mais ce qui est bizarre, c'est qu'on a accroché des draps devant les fenêtres et qu'une épaisse couche de poussière recouvre tout.

J'en oublie mon envie pressante et m'avance dans la pénombre. Sur la commode, des photos encadrées sont alignées devant une collection de petites poupées en porcelaine. Sur ces photos, je reconnais Annika. Annika ado en train de faire du cheval, de sourire aux côtés d'amis, de poser avec sa famille.

Du moins, je suppose. La fille au visage à moitié caché sous une casquette de base-ball doit être sa sœur. La jolie jeune femme, sa mère. Et l'homme décapité qui passe les bras autour des épaules des filles, son père. Attention : il n'est pas vraiment décapité. On lui a juste déchiré la tête.

Une coupure de journal est coincée dans un coin du cadre. Je me penche pour lire :

Après un long combat contre la maladie, Lucelia Kilter s'est éteinte dans sa maison familiale de Mount Collins, dans l'État de New York, à l'âge de 38 ans. Son époux, Maximus, reste seul avec ses deux filles, Nadia, 10 ans, et Annika, 12 ans.

— Vous vous êtes trompé.

Je me retourne d'un bloc. Le serveur se tient dans l'encadrement de la porte.

— Les toilettes sont juste à côté, dit-il.

— Oh. Pardon.

J'emprunte le couloir en sens inverse et m'enferme dans les toilettes.

Pendant que le serveur me raccompagne au rez-de-chaussée, deux idées me viennent à l'esprit. La première : Annika avait mon âge quand elle a perdu sa mère. La deuxième : j'espère que les membres du Grand P ont bien compris la leçon sur la patience. Parce qu'il va leur en falloir, maintenant qu'ils savent qui je suis. Et ils en auront d'autant plus besoin quand je leur expliquerai ce qui s'est passé.

Je vais me rasseoir en gardant la tête baissée.

— Ça va ? me demande Lemon à mi-voix.

J'ouvre la bouche pour répondre que oui, puis je réalise ce qu'il vient de dire. S'il s'inquiète pour moi... ça signifie peut-être qu'il ne va pas me laisser tomber. Même s'il connaît la vérité.

— À ton tour, Seamus, annonce Annika.

Je lève les yeux vers elle.

— Tu n'as rien manqué, m'assure-t-elle avec un sourire. J'ai choisi de ne pas répondre à la question d'Abe. Je t'écoute.

Je jette un coup d'œil furtif à Gabby. Elle attend ma question en mangeant avec calme. Abe enfonce sa fourchette dans sa purée de pommes de terre. À l'évidence, ils ne savent pas qu'ils sont en train de dîner avec un meurtrier sans pitié.

— Tu as une question à me poser, Seamus ? demande gentiment Annika.

Je lui adresse un petit sourire qui signifie trois choses. Un : je suis triste pour elle. Deux : je lui suis reconnaissant de ne pas avoir divulgué mon secret. Et trois : j'ai déjà appris beaucoup de choses, aujourd'hui.

— Oui : est-ce qu'il reste du poisson pané ?

Chapitre 21

AVERTISSEMENTS : 1 950
ÉTOILES D'OR : 180

Oh, la vache ! s'exclame Lemon. T'es super chic !

Je resserre ma cravate et regarde Lemon dans le miroir en pied. Mon reflet lui adresse un petit sourire.

— Toi aussi.

Le Jour des Parents est enfin arrivé. J'ai enfilé mon costume bleu marine. Lemon, lui, a mis un jean et de vraies chaussures (avec des lacets), il a boutonné sa chemise jusqu'en haut et l'a rentrée dans son pantalon. Un bel effort, quand on connaît Lemon.

— T'es nerveux ? me demande-t-il.

— Un peu. Et toi ?

— Je suis mort de trouille.

Il prend le briquet posé sur son bureau. Le repose.

Le reprend. Puis on frappe à la porte. Soulagé d'avoir quelque chose à faire, Lemon va ouvrir.

C'est sûrement Abe et Gabby qui sont passés nous chercher. Pour la troisième fois depuis le petit déjeuner, je vais me brosser les dents. Au moment où je m'apprête à cracher dans le lavabo, Lemon apparaît sur le seuil de la salle de bains. Il tient un paquet dans chaque main. L'un est déballé, l'autre non.

— Encore des cadeaux ! s'écrie-t-il. Imagine ce qu'on va avoir pour Noël, dans trois semaines !

Il me montre ce qu'on lui a offert : un pantalon en toile grise et une chemisette assortie, le tout entouré d'un ruban brillant argenté. Lemon tire la petite carte attachée au ruban :

> « Chers Pagailleurs,
>
> Voici votre tenue pour le Jour des Parents. Elle n'a rien d'excentrique, mais est très confortable. En vous voyant habillés comme ça, vos parents seront rassurés et sauront qu'ils ont bien fait de vous envoyer ici. Merci d'avance pour votre coopération. À bientôt. Bisous, Annika. »

Je crache le dentifrice et me rince la bouche.

— Je propose de jeter le pyjama et de garder nos fringues, clame Lemon. On gagnera peut-être des avertoches.

Ce à quoi je réplique :

— Mauvaise idée. Si on défie l'autorité, nos parents sauront que Kilter n'est pas un vrai collège, et ils nous ramèneront chez nous.

— T'as raison, lâche Lemon en posant mon paquet à côté du lavabo.

Je me change. Le stress monte d'un cran. Parler à mes parents, entendre leurs voix… Ça fait tellement longtemps que j'attends ce moment ! J'ai hâte de les voir, mais… j'ai aussi très peur. À cause du coup de téléphone de Thanksgiving. J'ai repassé la conversation dans ma tête un million de fois. J'entends encore chaque mot, chaque éclat de rire, chaque note de musique. Comme si c'était hier. Pourtant, il s'est passé beaucoup de choses, depuis. Je commence même à être un Pagailleur accompli. Cependant ce matin, quand le réveil a sonné, les vieux souvenirs m'ont à nouveau assailli.

Je me pose des tas de questions. Papa et Maman sont-ils encore en colère contre moi ? Viendront-ils ? Pire : viendront-ils avec Bartholomew John pour que je me sente aussi mal qu'eux ?

J'ai même imaginé le scénario catastrophe. Le méga film d'horreur. L'angoisse totale : Papa et Maman ne vont pas venir parce que je suis un criminel : ils ont oublié mon existence et ont déménagé. Ce qui collerait avec ce que j'ai entendu le jour de Thanksgiving.

Je finis de me préparer en essayant de penser à autre chose. Je pars ensuite avec Lemon vers l'Arène de Kilter. Enfin, « arène » est un bien grand mot pour une tente sous laquelle les employés du collège ont monté des gradins et installé des planches sur des tréteaux. Je pile devant l'entrée, paralysé.

— Qu'est-ce que t'as ? interroge Lemon.

— Rien. Je… Attends une minute.

Une minute et douze secondes plus tard, Lemon articule :

— T'es un bon copain, Seamus.

Je lève vers lui un regard sidéré.

— Quoi ?

— Tu me supportes tous les jours, grommelle-t-il en rentrant la tête dans les épaules. Tu me surveilles quand je rêve. C'est pas facile de dormir avec un pyromane somnambule. L'autre nuit, quand Abe et Gabby ont paniqué, toi, t'es resté calme. Et t'as assuré, avec Mister Mystère. (Il laisse retomber les épaules.) T'es un bon copain. Je voulais que tu le saches avant qu'on entre dans cette tente.

Un bon copain. Des copains, j'en ai, à la maison. Pas beaucoup. Deux ou trois. Bon, c'est vrai, je ne les invite jamais à dormir. Je m'assieds à côté d'eux dans le bus. On discute pendant l'entraînement de softball. Mais eux et moi, on n'a jamais partagé ce qu'on a partagé avec Lemon. Il faut dire que ce n'est pas tous les jours qu'on se bat avec ses profs au péril de sa vie et qu'on reçoit des récompenses et des félicitations quand on arrive à les vaincre.

Mais à Kilter, c'est comme ça qu'on se fait des amis.

— Merci. Toi aussi.

Après ces quelques mots, on se sent assez forts pour entrer dans l'Arène. La cérémonie n'a pas encore débuté. Des élèves avec leurs parents sont éparpillés un peu partout dans les gradins. Abe n'arrête pas de parler à sa mère. Le beau-père d'Abe, installé à côté de sa nouvelle femme, fixe la scène sans rien dire. Gabby est assise entre ses parents, deux rangées plus haut. La mère de Gabby monopolise la conversation et s'interrompt toutes les dix secondes pour rajuster sa coiffure ou son maquillage à l'aide de son miroir de poche. Dès que Gabby ouvre la bouche, sa mère lui coupe la parole et lui tapote le genou, et son père lui passe un bras autour des épaules.

— Mes parents s'appellent Babs et Ziggy, m'apprend Lemon en désignant du menton un couple assis sur la pelouse près des gradins.

Lemon ressemble à son père, sans la barbe et le dos moins voûté. La mère de Lemon mesure soixante centimètres de moins que son mari. Elle a de longs cheveux noirs et… un ventre très arrondi.

— Elle attend un bébé ?

— C'est pour très bientôt, réplique Lemon en me donnant un petit coup de poing dans le bras. Bonne chance ! À plus !

Je regarde la mère de Lemon se mettre à genoux et serrer son fils dans ses bras. Comme elle semble ne pas vouloir le lâcher, le père de Lemon lui donne une poignée de main et lui tapote le haut du crâne. Ils ont l'air ravis de le voir.

Cette scène me rassure un peu et je pars à la recherche de mes parents.

Je fais le tour de l'Arène. Personne. Alors je refais un tour. Toujours personne. L'inquiétude me gagne quand je boucle mon troisième tour. J'entends alors une voix familière.

Mon cœur bat la chamade, je me laisse guider par la voix. J'emprunte la grande allée centrale qui mène à la scène… et soudain, je me fige.

Maman est là. Pas dans les gradins, mais *sur* la scène. Avec tous les profs de Kilter. Elle est en train de parler avec Annika. Et elles ont l'air de bien s'entendre.

— Salut mon grand !

Deux bras m'enlacent par-derrière et me serrent si fort que je décolle du sol.

— Qu'est-ce que je suis content de te voir ! Tu as grandi, non ?

Je tapote les grosses mains qui empoignent mes triceps. Une fois libéré, je me retourne et me jette au cou de Papa. On reste là, sans bouger, pendant un long moment. J'attends que mes larmes sèchent avant de reculer.

— Salut, P'pa.

— T'as l'air en forme, souligne-t-il en m'ébouriffant les cheveux. Tu vas bien ?

— Oui. Et toi ?

Il paraît drôlement content de me voir : il a les larmes aux yeux. Il se donne une claque sur le ventre et s'exclame :

— C'est la grande forme ! J'ai perdu deux kilos grâce à ta mère et à son nouveau...

— Bonjour, Seamus.

Mon ventre se serre mais j'arrive quand même à pivoter sur mes talons.

— Salut M'man.

Elle m'observe, debout dans l'allée. Elle porte un joli manteau rouge et des talons hauts de la même couleur. Elle s'est fait couper et éclaircir les cheveux. Elle a mis du rouge à lèvres, ce qui est bizarre, parce qu'elle ne se maquille jamais. Ça se voit d'autant plus qu'elle a les lèvres pincées.

Voilà. J'en étais sûr. Elle est en colère. Déçue. Furieuse, même. Ce n'est pas parce qu'elle a ri avec Annika qu'elle m'a pardonné la chose horrible que j'ai faite à Mlle Parsippany.

— Tu m'as manqué, chuchote-t-elle.

Avant de m'adresser un large sourire et de me serrer très fort dans ses bras. Papa nous enlace tous les deux. On doit ressembler à un sandwich géant. Je m'en fiche. Je n'ai pas envie que mes parents me lâchent.

Mais je suis obligé, parce que Annika demande à tout le monde d'aller s'asseoir.

— On m'a dit que tu faisais un travail remarquable, me murmure Maman en s'installant à côté de moi. Je suis ravie.

Ravie. Pas furieuse, triste ou déçue. *Ravie.* Je ne me rappelle pas la dernière fois où je l'ai entendue me dire ça. Je suis si heureux que je décide de ne pas parler de Bartholomew John.

La cérémonie commence. Tout le monde s'est préparé pour la venue des parents. Le personnel, les profs et Annika ont enfilé leur tenue militaire : pantalon vert sapin et bottes montantes – la même qu'Annika portait le jour de mon arrivée à Kilter. Tous sont assis sur des chaises pliantes en métal installées derrière un podium. Les deuxième, troisième et quatrième années racontent les bêtises qu'ils faisaient avant d'être inscrits à Kilter, et tous les trucs formidables qu'ils y ont appris. Houdini, Fern, Wyatt et les autres expliquent combien la discipline, la structure, et le respect envers les adultes sont importants. Leur ton est grave et solennel. Si les parents savaient que Fern a un coussin péteur attaché autour du mollet !

Je les écoute d'une oreille distraite. Je suis bien trop occupé à regarder Maman – qui me tient la main, les yeux rivés sur la scène et le sourire aux lèvres, comme si elle assistait à un numéro de clowns – et Papa – qui n'enlève le bras passé autour de mes épaules que pour me tapoter la tête chaque fois qu'un prof prononce des mots du genre « comportement exemplaire de votre enfant ». J'envisage enfin que – peut-être – tout finisse par s'arranger. Je vais obéir aux ordres, continuer à faire les quatre cents coups avec mon copain Lemon, me réconcilier avec Élinor et rentrer à la maison, où Papa, Maman et moi serons plus proches que jamais.

Et à la fin, quand on repensera à ce qui s'est passé à la cantine, on ne dira plus : « Cet horrible événement a détruit nos vies. » Non. On dira : « Cet horrible événement a *changé* nos vies… mais en mieux. »

Enfin j'espère.

En tout cas, maintenant, j'ai repris confiance en moi. Quand Annika propose une visite du collège, j'ai le cœur léger. Bien sûr, on ne visite pas le vrai collège : le jardin et les constructions étincelantes doivent rester secrets. À la place, Annika nous emmène dans un tunnel souterrain de cinq cents mètres de long, très sombre, qui relie la tente à une cour en béton entourée de terre. Un bâtiment que je n'ai jamais vu se dresse au fond de la cour. Il ressemble à celui dans lequel Annika m'a accueilli le premier jour, mais celui-ci est plus gros et bien plus effrayant. Il y a des barreaux aux fenêtres et du fil de fer barbelé tout autour de la cour, qui s'enroule telles des guirlandes sur un sapin de Noël. Derrière une barrière fermée par une chaîne, de gros chiens gris – de véritables molosses aux dents pointues – grognent d'un air méchant.

On entre dans le bâtiment. Lumière artificielle. Salles communes minuscules, sans télé, ni console de jeux, ni jeu tout court. Salles de classe avec chaises et bureaux en bois. Tableaux noirs sur lesquels on a écrit des tonnes de règles sur la discipline et le respect. Deux grands dortoirs, un pour les filles, un pour les garçons. Matelas posés par terre, avec des draps gris froissés et des oreillers aplatis, pour faire croire qu'on a dormi dessus.

Un peu choqués de découvrir nos « conditions de vie », beaucoup de parents passent un bras autour des épaules de leur enfant. Papa veut faire pareil, mais je lui souris pour lui prouver que je vais bien.

Pour finir, on entre dans une pièce immense avec des tables et des chaises en métal pliantes disposées autour de deux fourneaux. L'issue de secours est grande ouverte – sans doute pour l'aération. Sur chaque table, on a mis une nappe à carreaux rouge et blanc, et un vase avec une marguerite. Devin et Houdini sont en train de préparer le repas. Les profs et les membres du personnel vont s'installer dans un coin. Ce qui veut dire qu'on va vraiment pouvoir profiter de nos parents.

— Hé ! Seamus !

Lemon m'appelle, à l'autre bout de la pièce. Il place trois tables côte à côte. Abe et Gabby emmènent des chaises. Je demande à Papa et à Maman :

— Vous voulez que je vous présente mes amis ?

— Ce serait merveilleux ! s'exclame Maman.

Elle semble aux anges. Je n'aurais jamais pensé la voir aussi heureuse dans un endroit comme celui-là.

Je fais les présentations, on s'assoit et on commence à bavarder. Pour détendre l'atmosphère et donner un petit air de fête, Devin a posé par terre un poste de radio, d'où s'échappent de vieux tubes des années 1970. Très vite, les gens se mettent à rire et à plaisanter.

Au bout d'un moment, Maman me demande :

— Tu peux aller me chercher du ketchup, s'il te plaît ?

Je me lève d'un bond.

— Quelqu'un veut autre chose ?

À part Maman, personne n'a besoin de rien. Alors je file chercher le ketchup. J'entends Babs (la mère de Lemon) dire à Papa et à Maman que leur fils est très bien élevé.

Devin m'envoie chercher le ketchup dans la fausse cuisine. Je m'engouffre dans un long couloir obscur, mais je me perds. Zut. Cul-de-sac. Je fais demi-tour… et manque de rentrer dans Élinor.

— Salut.

— Salut.

Je m'attends à ce qu'elle s'enfuie en courant, mais elle me montre son livre avec un petit sourire.

— Je cherchais un endroit tranquille pour bouquiner.

— Ah. Tes parents sont déjà partis ?

C'est la première fois que je reparle à Élinor depuis l'épisode du belvédère. Je n'ai pas encore eu l'occasion de lui demander qui était la femme aux yeux cuivrés sur la photo, ni ce qu'elle faisait avec Annika. Est-ce sa mère ? Est-ce qu'Annika et elle étaient amies d'enfance ? Est-ce qu'elles se voient toujours ? Est-ce pour ça qu'Annika est plus exigeante envers Élinor ?

— Oui, me répond cette dernière. Mon père avait du travail.

Tout à coup, je me sens très triste. J'ai passé une super journée avec mes parents. Visiblement, ce n'est pas le cas d'Élinor. J'en oublie toutes mes questions.

— C'est pas grave, enchaîne Élinor. En plus, ça me laisse du temps pour lire.

Je réfléchis à ce que je vais lui répondre. Finalement, je décide que je n'ai rien à perdre.

— Je suis là, tu sais.

Elle plonge son regard dans le mien.

— Je vois ça.

— Non, je veux dire... je suis là *pour toi.* En tant qu'ami. Si t'as besoin de parler, et même si tu veux pas parler. Si tu veux qu'on soit copains – maintenant, demain, ou jamais – t'as qu'un mot à dire.

Elle m'observe pendant une minute, sans doute pour voir si je suis sérieux.

— D'accord. Merci.

— De rien.

Je lui souris. Elle s'écarte pour me laisser passer. Quand j'arrive au milieu du couloir, je l'entends murmurer :

— Ils sont pas venus.

Je m'arrête.

— Mes parents, poursuit Élinor d'une voix vibrante. Ils n'ont pas eu envie de faire sept heures d'avion pour me voir pendant trois petites heures. Alors ils sont restés chez eux.

C'est la première fois qu'Élinor me dévoile quelque chose d'aussi personnel. J'aimerais en profiter pour lui parler de la photo du belvédère, mais ça peut attendre.

Je me retourne.

— Tu veux manger avec nous ?

Je vois ses joues devenir toutes roses. Elle hoche la tête.

Ensemble, on arrive à trouver la cuisine, et le ketchup. Quand on revient dans la fausse salle à manger, les gens parlent et rient encore plus fort que tout à l'heure. Je pousse un soupir de bien-être. Mes parents sont là. Mes amis sont là. Élinor est là. Rien ne pourra venir gâcher cette belle journée.

À part un mot. Celui qu'il ne fallait pas prononcer.

— Une *pomme* ? demande la mère de Gabby.

— Une pomme, répète Maman.

— Et il l'a eue du premier coup ? veut savoir le père d'Abe.

— Du premier coup, confirme Maman.

— Judith, intervient Papa à mi-voix. Ce n'est peut-être pas le moment de...

— Au contraire ! tranche Maman. Notre fils se débrouille comme un chef ! *Tous nos enfants* se débrouillent comme des chefs ! Pourquoi cacherais-je les difficultés qu'ils ont dû surmonter ?

Je jette un coup d'œil rapide à Élinor. Elle regarde Maman. Puis moi. Puis encore Maman. Qui reprend :

— Comme je vous le disais, cette remplaçante a vu la bagarre et a voulu s'interposer. Seamus ne savait pas quoi faire. Il avait peur, et ça l'a mis en colère. Alors il a ramassé ce qui lui tombait sous la main, et il l'a lancé droit devant lui. La pomme a atteint cette pauvre femme à la tête. (Maman mord dans son hamburger avant de conclure :) Personne n'a rien pu faire. Et maintenant, mon fils est un criminel.

Un silence de mort fait écho à ses paroles. Loin, très loin, j'entends les autres parents continuer à rire et à parler.

Au bout d'un moment, Lemon articule :

— Si je comprends bien, Seamus a lancé une pomme sur sa prof de maths remplaçante, et... et elle est *morte* ?

Lemon me dévisage. Gabby et Abe me dévisagent.

Les autres parents essayent de ne pas me dévisager, mais ils me dévisagent quand même. Élinor me lance un dernier regard et s'en va – d'abord en marchant, puis en courant.

Tout le monde se tait. Normal. Il n'y a rien à ajouter.

Je me force à avancer jusqu'à la table, pose le ketchup à côté de l'assiette de Maman, m'excuse à mi-voix et quitte la pièce.

Chapitre 22

AVERTISSEMENTS : 2 201
ÉTOILES D'OR : 180

À : parsippany@cloudview.edu
DE : s.hinkle@kilter.org
OBJET : Seule au milieu de la foule

Chère Mademoiselle Parsippany,

J'ai beaucoup réfléchi. Je me suis demandé ce que vous aviez pu ressentir, ce jour-là, à la cantine. Vous étiez sûrement nerveuse. Anxieuse. Effrayée. Et puis, j'ai pensé que vous étiez peut-être très seule.

Oui. En entrant dans cette salle pleine à craquer, vous avez dû vous sentir super-hyper-archi seule. J'imagine que c'est ce qui arrive, quand on va manger avec deux cents inconnus avec l'espoir qu'ils vous apprécient. Ensuite, il y a eu la bagarre. Ça n'a rien arrangé. Si vous n'aviez pas bougé, vous seriez passée pour une mauviette qui n'en a rien à faire de ses élèves. Si vous aviez essayé de vous interposer et pris un coup de poing, vous seriez passée pour une remplaçante cinglée qui se croit plus forte que les autres. Si vous aviez réussi à séparer les bagarreurs, vous seriez devenue la prof la plus cool du collège. Mais vous n'aviez aucune chance : Bartholomew John pesait vingt kilos de plus que vous. En plus, les gens vous auraient jugée alors qu'ils ne vous connaissaient pas. Et vous vous seriez sentie encore plus seule.

Je sais ce que c'est que de se sentir seul. L'autre jour, Maman a raconté à tout le monde ce que j'avais fait. Bien sûr, je me suis fait virer du Grand P. Enfin... pas exactement, mais depuis, Lemon, Abe et Gabby ne m'adressent plus la parole. Je n'ai pas été invité à une seule réunion de la bande. Je suis sûr qu'ils m'en veulent à mort. Quand on est tous les deux dans la chambre, Lemon m'ignore. Il ne joue plus avec les allumettes devant moi. Soit il a arrêté pour de bon (ce qui m'étonnerait), soit il n'a plus confiance en moi (ce qui serait logique). Je donnerais n'importe quoi pour me réveiller au milieu d'un incendie...

Élinor ne veut plus me parler. Parfois, je surprends son regard posé sur moi. Je sais ce qu'elle pense de moi et je ne lui en veux pas. Qui voudrait d'un meurtrier sans pitié pour ami ?

Mes profs font comme si rien ne s'était passé. De toute façon, ils ont toujours su, et c'est ce qui leur a plu, chez moi. Alors pour eux, ça ne change rien. Par contre, toute la classe est au courant, et personne n'ose m'approcher.

Il ne me reste plus qu'à me tenir tranquille jusqu'à la fin des cours. Je ne vais pas essayer de me faire renvoyer : je ne suis pas pressé de rentrer à la maison. Je vais faire mes devoirs, lire et regarder la télé. Pas génial, comme programme, mais je ne peux rien faire d'autre.

Tout ça pour vous dire que je vous comprends. Que je sais ce que c'est que d'être seul. Et aussi, que je suis sincèrement désolé. J'espère que vous êtes plus heureuse maintenant. Où que vous soyez.

Seamus Hinkle.

Ensuite, avant de changer d'avis, je rédige un autre message.

À : l.oliver@kilter.org
DE : s.hinkle@kilter.org
OBJET : Dîner

Salut Lemon,

Si t'as rien de prévu, tu veux manger avec moi, ce soir ? J'ai des tas de trucs à te dire.

Seam

Je n'ai pas le temps d'écrire le « us » de Seamus, parce que la porte vitrée contre laquelle je suis appuyé s'ouvre. Je tombe en arrière et lâche mon K-pad.

— Ça doit vraiment valoir le coup, déclare Martin, le caissier de l'Arsenal.

— Quoi ?

Je me relève en vitesse, ramasse mon K-pad et le secoue. Écran noir.

— Il n'est même pas 9 heures du matin, explique

Martin. Je ne sais pas ce que tu comptes acheter, mais ça doit valoir le coup.

L'écran du K-pad clignote et se rallume. La page d'accueil s'affiche. Ouf. Il n'est pas cassé. Je le range dans mon cartable avant d'entrer dans l'Arsenal.

— Oui. Ça vaut le coup.

Pendant que Martin allume les lumières du magasin et déverrouille les vitrines, je pose la main sur le scanner d'empreintes.

BIENVENUE, SEAMUS HINKLE ! TU AS... 2 001 CRÉDITS !

Le tourniquet bipe. Je pousse la barre en métal et je rejoins Martin.

— Qu'est-ce que ce sera ? me demande-t-il. Des balles de paintball ? Un nouvel arc et des flèches ? Un Froomsbee en titane ?

Je ne savais pas qu'ils vendaient des Froomsbee en titane. Pendant une milliseconde, je suis tenté de choisir cette merveille. Jusqu'à ce que je me rappelle pourquoi je suis là.

— Je voudrais le Détecteur de Fumée avec Extincteur Intégré de Kilter, s'il vous plaît.

Martin s'arrête d'arranger les tee-shirts de camouflage posés sur un présentoir et me lance un regard étonné.

— Ça coûte deux mille crédits, grogne-t-il.

— Je sais.

— Combien t'en as ?

— Deux mille un.

— Tu ne vas rien pouvoir t'acheter d'autre.

Je hausse les épaules :

— C'est pas grave.

Il paraît réfléchir à la question, puis il prend la grosse clé qui pend à sa ceinture et se dirige vers l'arrière-boutique.

— C'est toi qui vois, champion. Moi, je ne suis qu'un employé.

J'attends à côté de la caisse. Martin revient une minute plus tard avec une boîte en plastique transparente. Dedans, il y a un disque plat, pas plus gros qu'un dollar en argent. Je paie, sors du magasin, fourre la boîte dans mon sac et monte sur le trottoir.

— Bonjour !

Une voiture de golf s'arrête à ma gauche. Annika m'adresse un sourire étincelant. Aujourd'hui, elle porte une parka argentée bordée de fourrure blanche à paillettes et une casquette d'aviateur assortie. Ses yeux sont cachés par des lunettes teintées.

— Il fait froid, hein ?

En parlant, elle crache des petits nuages de fumée.

— Grimpe ! Je t'emmène !

Mon cerveau fonctionne à toute allure. Avant le Jour des Parents, je serais monté dans la voiture d'Annika sans hésiter. Mais aujourd'hui, je suis le paria de Kilter. Si j'arrive en cours de maths dans la voiture de la directrice, je risque de me faire mal voir.

— Allez, monte ! insiste Annika. Ça me ferait très plaisir !

Elle sourit, mais elle n'a pas l'air de plaisanter. Sa proposition ressemble drôlement à un ordre. Alors je contourne la voiture et grimpe côté passager.

Vitesse de croisière. Conditions optimales pour bavarder.

— Comment ça se passe ? me demande-t-elle d'une voix guillerette.

— Génial. Super. Je ne me suis jamais senti aussi bien.

Elle me lance un regard lourd de sens.

— Ah oui ? C'est pour ça que tu manges tout seul et que tu restes scotché devant la télé, bien sage dans ton coin ?

Je ne trouve rien à répondre.

— Tes parents te manquent ? reprend Annika. Ne t'en fais pas : dans quelques jours, c'est les vacances. Tu rentreras chez toi pour trois semaines.

Mon cœur fait un bond.

— Trois semaines ?

— Ouais.

— Et ensuite ?

— Ensuite, retour à Kilter, et début du deuxième trimestre.

Elle a annoncé ça d'un ton neutre, comme si c'était évident, comme si ça ne pouvait que me faire plaisir. Tout ce que je sais, c'est qu'une fois à la maison je ferai mon possible pour oublier mon séjour à Kilter. Ce qui risque d'être dur.

Annika garde le silence quelques instants avant de demander :

— Connais-tu le proverbe : « Un grand pouvoir implique de grandes responsabilités » ?

Je secoue la tête.

— C'est un de mes proverbes préférés. Ça signifie que plus tu as de choses à offrir, plus les gens attendent de toi. Que tu dois bien réfléchir avant d'agir, parce que tes choix plairont ou décevront. Qu'on t'attend au tournant. Que tu dois toujours penser à faire le bien. C'est une position grisante, mais difficile à assumer.

Je crois que je comprends... mais pourquoi me parle-t-elle de ça ?

Annika arrête la voiture devant le bâtiment des salles de classe et se tourne vers moi :

— Ça signifie aussi que les amis parfaits, ça n'existe pas. Tu ne peux pas être premier en tout, Seamus. Observe bien ta place.

À cet instant, je suis tenté de lui répondre que ma place est en cours de maths, mais je devine qu'Annika ne parle pas de situation géographique. Qu'est-ce qu'elle a voulu dire ? Que je ne dois pas chercher à être le premier de la classe ? Aucun souci, je suis sûr que je suis dernier : j'ai gagné très peu d'avertissements depuis le Jour des Parents. Le premier de la classe, c'est Lemon. Et des amis, il lui en reste des tas. Il n'a pas besoin de moi.

Annika ne me laisse pas le temps d'ouvrir la bouche : elle descend de voiture et désigne le bâtiment du menton.

— On y va ? J'ai de la paperasse qui m'attend.

Je la suis en traînant les pieds. La plupart des sièges sont déjà pris et je dois m'asseoir au premier rang. Houdini est en train de dormir, la tête posée sur son bureau, la capuche de son sweat-shirt orange rabattue sur la figure. Annika se dirige vers lui et soulève sa capuche du bout du doigt. Houdini se réveille en sursaut et plisse les yeux, comme aveuglé par deux rayons laser.

— Navrée d'interrompre votre édifiante leçon de chapardage, fait Annika.

Le prof de maths marmonne une excuse. Pendant qu'il s'efforce de ne pas se rendormir, Annika se tourne vers nous et s'exclame avec un grand sourire :

— Félicitations, chers Pagailleurs ! Onze semaines se sont écoulées. Vous avez travaillé dur. Le premier trimestre touche bientôt à sa fin !

— OUAIIIS !!!

Applaudissements. Hurlements de joie. Annika lève la main et attend que les élèves se taisent avant de poursuivre :

— C'est la dernière ligne droite, alors ne relâchez pas vos efforts ! Il vous reste encore un examen à passer : l'Ultime Mission des Pagailleurs.

— Je croyais qu'une fois qu'on avait battu tous les profs, on pouvait se reposer, objecte Abe d'une voix mal assurée.

— On t'a mal renseigné, rétorque Annika.

— Il y a toujours un examen de fin de trimestre, ajoute Houdini en bâillant.

— Celui-ci est le plus difficile, complète Annika. Très peu de Pagailleurs le réussissent.

— Qu'est-ce qui se passera si on échoue ? demande Gabby.

— Vous écoperez d'un mois d'entraînement supplémentaire. En comparaison, ce que vous vivez depuis la rentrée ressemblera à une colonie de vacances. Si vous gagnez assez d'avertissements, vous pourrez revenir en classe. Sinon, *bye-bye* Kilter.

— Ça veut dire qu'on se fera virer ? hoquète Abe.

Précisément.

— Et si on réussit l'examen ? veut savoir Lemon.

— Vous obtiendrez votre diplôme et aurez la

possibilité d'accompagner le professeur de votre choix lors d'une mission de combat top secret en extérieur. (Annika nous regarde un par un.) Le meilleur d'entre vous pourra même venir avec moi.

À ces mots, des murmures d'excitation s'élèvent dans la pièce. Je jette un coup d'œil derrière moi pour guetter la réaction d'Élinor. Dès qu'elle lève les yeux vers moi, je me retourne.

Annika renchérit :

— Attention : la mission de cette année est – de loin – la plus difficile de toutes les Ultimes Missions des Pagailleurs de première année. Je suis presque sûre que personne ne réussira.

Elle braque son K-pad derrière Houdini. Une vidéo s'affiche sur le mur. Dessus, il y a Annika, à quatorze ou quinze ans. Assise sur une banquette placée sous la fenêtre, elle regarde tomber la neige. Elle porte une robe en velours rouge et un ruban assorti dans ses cheveux tressés. Dans la vitre, on voit clignoter des guirlandes de Noël. Il doit y avoir un sapin, derrière elle.

Dans la salle de classe, pas un bruit. Au bout d'un moment, sur la vidéo, une femme en robe noire et tablier blanc apparaît sur le seuil de la porte. Elle propose une tasse de thé à Annika, qui décline. Ensuite, elle lui apporte une couverture, qu'Annika refuse. Puis des chaussons. Toujours pas. Annika ne quitte pas la neige des yeux. Après plusieurs minutes, la femme revient, un téléphone sans fil argenté à la main. Annika semble hésiter, mais elle finit par le prendre. Trente longues secondes s'écoulent. On entend Annika dire :

— D'accord. Je comprends. Joyeux Noël.

Cinq mots, et puis voilà.

Elle rend le téléphone à la femme, qui sort de la pièce. Ensuite, elle se lève et se dirige vers la caméra. Avant que la vidéo s'éteigne, on a le temps d'apercevoir deux choses.

Une banderole « BIENVENUE À LA MAISON ! » suspendue au-dessus de la porte.

Et des larmes, sur le visage d'Annika.

La directrice raccroche son K-pad à sa ceinture et se retourne vers nous.

— J'avais quinze ans quand cette vidéo a été prise. Aujourd'hui, j'en ai trente-huit. (Une pause. Son visage revêt une expression neutre.) Je n'ai pas pleuré depuis vingt-trois ans.

Élinor intervient :

— C'est pas…

Annika lui lance un regard glacé. Pétrifiée, Élinor referme la bouche et baisse les yeux. Je la comprends, personne ne peut soutenir un tel regard.

Je crois savoir ce qu'Élinor a voulu dire : « C'est pas vrai, tu mens : je t'ai déjà vue pleurer. » Et si Élinor est aussi sûre d'elle, c'est qu'elle doit être très proche d'Annika. La directrice de Kilter a beau être sympa, c'est quand même la directrice. Elle ne doit pas pleurer devant n'importe qui.

— Écoutez-moi, les Pagailleurs, déclare-t-elle d'une voix atone. Votre mission, si vous l'acceptez, est de me faire pleurer. Pleurer, pleurnicher, sangloter… peu importe, pourvu que surgissent des larmes.

Quelle blague ! Tout le monde se tait.

Au bout d'un moment, Lemon demande :

— Comment ?

Annika éclate de rire :

— Si je vous le disais, ce ne serait pas un défi !

— Est-ce qu'on a le droit de... vous faire mal ? articule Abe. Physiquement ?

— Fusils et couteaux interdits. De toute façon, les agents de sécurité sont là pour me protéger. Sinon, vous avez carte blanche. (Elle pose les mains sur le bureau de Houdini, se penche en avant et souffle :) Je suis plus coriace que j'en ai l'air.

— Je confirme, grommelle Houdini.

— Vous avez cinq jours, conclut Annika en marchant vers la porte. Bonne chance !

Je rentre la tête dans les épaules. L'Ultime Mission des Pagailleurs. Tu parles. L'Ultime *Cauchemar* des Pagailleurs, oui ! Apparemment, mes copains ne sont pas du même avis que moi. Ils sont tellement excités que Houdini renonce à nous faire son cours de vol à l'étalage. Ils se mettent à échafauder un plan d'attaque. J'attends que Houdini repose la tête sur son bureau avant d'attraper mon K-pad. J'ai très envie d'écrire un autre message à Mlle Parsippany. Mais au moment où j'allume le mini-ordinateur, j'entends quatre syllabes derrière moi. Quatre syllabes qui, au milieu du brouhaha, sont passées inaperçues.

— *... Pic d'Annika.*

Je me retourne. Lentement. Je sais d'avance ce que je vais voir. Et ça me fait très peur.

Lemon, Abe et Gabby se sont rassemblés au fond de la classe. Abe forme un P avec ses doigts, puis un triangle en joignant les pouces et les index. Ensuite, il approche les doigts du briquet allumé que Lemon tient devant lui.

Je ne fais peut-être plus partie du Grand P, mais j'ai passé assez de temps avec eux pour comprendre ce qu'ils mijotent.

Ils comptent détruire le parc d'attractions d'Annika.

Chapitre 23

AVERTISSEMENTS : 2 201
ÉTOILES D'OR : 180

Je ne tiens pas en place. Je m'assieds sur mon lit. Sur ma chaise de bureau. Me lève. Colle le nez à la fenêtre. Me rassieds sur mon lit. Regarde l'horloge fixée au mur. Puis la porte. Encore l'horloge. Puis l'objet posé sur l'oreiller de Lemon. Retour à l'horloge. Il est tard, la nuit va bientôt tomber.

Cet objet sur l'oreiller, c'est ma dernière chance de me réconcilier avec Lemon. Un genre de calumet de la paix.

Enfin, la porte s'ouvre. Je bondis. Effrayé, Lemon recule dans le couloir.

Je fais deux pas en arrière et lève les mains en l'air pour lui prouver que je ne suis pas armé.

— Pardon. Je ne voulais pas te faire peur. Entre, s'il te plaît.

Lemon obéit, mais il reste sur ses gardes. Il balaie la pièce des yeux (sûrement pour s'assurer qu'elle n'est pas truffée de mitraillettes automatiques), puis il se dirige vers son lit.

Et il s'arrête net.

— C'est quoi, ça ?

— Un cadeau.

Lemon me tourne le dos. Il fixe le paquet posé sur son oreiller.

— Tu l'ouvres pas ?

Il est paralysé. Il ne veut pas de mon cadeau. Je m'en doutais. J'aurais dû garder le ticket de caisse. Puis, au ralenti, il tend les mains et attrape le paquet. Sans se retourner, il dénoue le lacet argenté que j'ai attaché autour du sac-poubelle/papier cadeau.

Je retiens mon souffle, tétanisé.

— Oh, la vache, soupire-t-il.

— C'est le Détecteur de Fumée avec Extincteur Intégré de Kilter.

Les mots ont jailli tout seuls de ma bouche.

— Je vois. (Il fait volte-face.) Pourquoi tu l'as acheté ?

— Parce que t'en avais envie.

— Oui, mais…

— Et aussi, pour m'excuser de t'avoir caché la vérité. (La gorge nouée, je fais un pas vers lui.) C'est juste que j'avais trop peur de ta réaction. Même moi, je suis encore sous le choc. J'arrive pas à y croire. Mais t'es mon ami. J'aurais dû te dire ce que j'avais fait.

Lemon baisse les yeux sur la boîte en plastique et se laisse tomber sur le bord du lit.

— À ta place, j'aurais fait la même chose, grogne-t-il. C'est pas à cause de ça qu'on ne veut plus te parler.

— C'est à cause de quoi, alors ?

Il fronce les sourcils.

— Seamus, je… t'es pas comme les autres Pagailleurs. Ce qu'on fait n'a *rien à voir* avec ce que tu fais.

— Avec ce que *j'ai* fait, je corrige. C'est arrivé une seule fois. Et c'était un accident.

— Oui, mais même.

Il me regarde dans les yeux avant d'ajouter :

— Tu joues dans la cour des grands. Pas nous.

Je secoue la tête et avance encore d'un pas.

— Laisse-moi au moins t'expliquer ce qui s'est passé, et pourquoi. Je ne voulais faire de mal à personne.

— Est-ce que la fin de ton histoire est différente de celle de ta mère ?

J'ouvre la bouche. La referme. La rouvre. Et finis par avouer :

— Non. Je ne peux pas faire marche arrière.

— Alors tu ne pourras rien changer.

Lemon a vraiment l'air navré. Il paraît sur le point de me demander de lui raconter ce qui s'est passé, avec son petit sourire en coin. Mais au lieu de ça, il se lève, repose mon cadeau sur son lit, prend des habits dans sa commode, les fourre dans son sac à dos…

… et se dirige vers la porte.

— Où tu vas ?

Il s'immobilise, la main sur la poignée de la porte.

— Je dors chez Abe, ce soir. On a du travail…

— Je peux venir ? Je sais ce que vous comptez faire au Pic d'Annika. Je peux vous aider.

Je suis vraiment désespéré, et ça s'entend.

Lemon semble réfléchir.

— Si tu veux nous aider, va rendre le détecteur de

fumée à l'Arsenal. Je sais que normalement, les articles ne sont ni repris ni échangés, mais essaie de convaincre Martin. Il nous faut des crédits pour acheter du matériel.

Je rentre la tête dans les épaules. Il a dit ça sur un ton un peu mordant. J'ai voulu enterrer la hache de guerre, et il a refusé. Ça fait mal.

— Vous n'avez plus de crédits ? Qu'est-ce que vous en avez fait ?

Je suis très étonné, car après avoir battu M. Tempest, on était tous pleins aux as.

— On s'est payé un scooter chacun, avoue Lemon. On croyait qu'on n'aurait plus besoin de rien. On ne savait pas, pour l'Ultime Mission des Pagailleurs. Maintenant, pour s'équiper, on va devoir emprunter du matériel… ou en voler.

Et sans rien ajouter, il ouvre la porte et s'en va.

Je reste sur le seuil, pétrifié, puis je me lance à sa poursuite.

— Attends !

Trop tard. Il a disparu. Dans le couloir, il n'y a que deux Bons Samaritains, qui font leur ronde. Ils tournent la tête vers moi et se dirigent vers la sortie. La banane rouge de l'un d'eux s'accroche à la poignée de la porte. Le BS se dégage d'un petit mouvement d'épaule.

Ce qui me donne une idée.

Les Bons Samaritains sont là pour nous empêcher de semer la pagaille. Il y a deux mois, ils ont éteint le feu que Lemon avait allumé dans notre chambre. Ils étaient armés jusqu'aux dents : extincteurs, extracteurs de fumée… tout ça pour éteindre un petit feu de rien du tout. Alors imaginez ce qu'il leur faudrait pour éteindre un véritable incendie... Ils doivent avoir du matériel. Beaucoup de matériel.

Ce matin, en cours de maths, j'ai reçu un k-mail de l'Équipe de l'Arsenal. Il me reste un crédit. Je ne peux plus rien acheter. Si je veux d'autres armes, je vais devoir me les procurer autrement.

Je retourne dans la chambre en courant, enfile mes bottes, ma veste, et m'engouffre dans le couloir.

« Les amis parfaits, ça n'existe pas », a affirmé Annika.

« Tu ne pourras rien changer », a dit Lemon.

Ils ont tort. Tous les deux. Et je vais le leur prouver.

Pas de temps à perdre. Je sors du dortoir et rattrape les Bons Samaritains en moins de deux. Première étape : les suivre de près.

La filature dure une heure. Courir, se cacher derrière les arbres et les buissons, espionner les conversations barbantes sur l'entretien des pelouses et des voitures... jusqu'à ce que les BS entrent dans une zone inconnue. Ils enfourchent un vélo électrique biplace rangé dans un râtelier et partent à pleins gaz vers la forêt. Pas grave. Je les suivrai à pied. Ce n'est pas sorcier : la lune éclaire les traces de pneus. Je ne risque pas de me perdre.

Au bout d'un kilomètre, le sentier débouche dans une petite clairière. Le vélo est par terre. Aucune trace des Bons Samaritains. C'est un piège. À tous les coups. Il doit y avoir une corde avec un nœud coulant cachée dans l'herbe. Dès que je poserai le pied dessus, elle se resserrera autour de ma cheville et je me retrouverai suspendu à un arbre, la tête en bas. Je recule jusqu'à l'orée de la clairière, en faisant très attention.

Tout à coup, le sol tremble. Les pins oscillent. Le

vélo rouge tressaute, comme un VTT lancé à fond la caisse sur un sentier de montagne.

Soudain, un énorme cylindre argenté sort de terre.

Je me précipite derrière un amas de rochers et me recroqueville, terrifié. L'espèce d'ascenseur argenté tourne plusieurs fois sur lui-même puis s'immobilise. Une porte s'ouvre dans la paroi. Je retiens mon souffle. Trois Bons Samaritains sortent de l'ascenseur. Les deux premiers grimpent sur le vélo. Le troisième déplie un scooter, l'enfourche et démarre. Les BS s'éloignent en faisant crisser les pneus. La porte de l'ascenseur commence à se refermer en coulissant.

Vite. Je veux voir ce qu'il y a là-dedans. Je m'élance vers l'ascenseur et parviens à me faufiler à l'intérieur. Juste à temps. La porte se referme derrière moi. Trois longs *bip* retentissent. On dirait un camion benne qui recule. Ensuite, l'ascenseur redescend sous terre.

Je sens mon cœur me marteler les côtes. BOUM-BOUM ! BOUM-BOUM ! Affolé, je cherche une excuse valable, au cas où je me ferais prendre : je me promenais dans les bois, et je me suis perdu. J'ai suivi des Pagailleurs de troisième année, et je suis tombé sur cette clairière. Je voulais arracher les mauvaises herbes, et…

— Standard des Fayots, bonjour ! Que puis-je faire pour vous ?

La porte de l'ascenseur s'ouvre. De l'autre côté, une femme d'une cinquantaine d'années avec des cheveux orange vif et des faux ongles très longs pianote sur un clavier d'ordinateur. Un chihuahua à trois pattes dort dans un panier posé sur son bureau. J'entre dans la pièce et file me cacher dans un coin. La femme ne quitte pas son écran des yeux.

J'ai deviné : c'est Mme Marla. Si on n'était pas sous terre, je serais allé lui dire bonjour. Mais pour une fois que la chance est de mon côté, je préfère ne pas prendre de risques.

Surtout que je suis entré dans le QG des Bons Samaritains à 19 heures, l'heure du dîner.

Je le sais parce qu'ils sont tous assis dans une grande salle à manger, autour d'une table croulant sous les poêles et les casseroles. Je passe devant la porte sur la pointe des pieds, mais les BS sont occupés à remplir leurs assiettes. Même si je frappais, ils ne m'entendraient pas. Je longe le long couloir blanc d'un pas rapide et m'arrête devant la porte où est accrochée une pancarte : « VESTIAIRE BS N° 1 ». Je colle une oreille contre le panneau. Pas un bruit. Alors j'ouvre la porte et me faufile à l'intérieur.

La pièce ressemble au vestiaire des garçons du collège de Cloudview : casiers métalliques et bancs alignés le long des murs, fontaine à eau, toilettes et cabines de douche. En plus il y a ici un placard gigantesque bourré de pantalons kaki, de chemises à carreaux, de vestes de sport et de mocassins.

Je me rue vers le placard, prends un pantalon, une chemise et une veste taille XS, des chaussures pointure 39, et fourre le tout dans mon sac à dos. Je pose la main sur la poignée de la porte, et m'immobilise.

Un avis de recherche. Placardé sur le mur, à côté de la porte. J'ai failli ne pas le voir. Dessus, il y a douze photos en couleurs. Les onze premières sont des photos d'enfants que je n'ai jamais vus à Kilter. Ils sont recherchés pour chantage ou vol à main armée.

La douzième photo est celle d'une femme d'environ

trente ans, aux cheveux bruns-roux et aux yeux noisette. Elle ne sourit pas, mais elle ressemble à la jeune fille qui faisait du cheval avec Annika sur la photo qu'Élinor a perdue, l'autre jour, au belvédère.

Cela me rappelle que j'ai encore cette photo. Si je la lui rends, on redeviendra peut-être amis, elle et moi.

Je m'approche de l'affiche pour lire le nom écrit sous la photo.

Nadia Kilter.

Je recule, abasourdi. La femme aux yeux cuivrés n'est pas l'amie d'Annika : c'est sa *sœur*. Et si Nadia est la mère d'Élinor… alors Élinor est la nièce d'Annika !

Ça n'explique toujours pas cet avis de recherche.

— C'étaient les meilleures boulettes de viande que j'aie jamais mangées !

— Et ce poulet au parmesan ! Un vrai régal !

Des voix masculines. Là, dans le couloir. Elles s'approchent, puis s'éloignent. J'entrebâille la porte pour m'assurer que les BS se dirigent bien vers le Standard des Fayots, puis je sors du vestiaire à pas de loup et cours dans la direction opposée.

J'ai trop de chance. Ça ne va sûrement pas durer. Il faut que je sorte d'ici. Et vite. Je m'engouffre dans la pièce du fond et m'accroupis dans un coin. L'autre jour, Lemon a mené sa petite enquête : les BS se relaient par équipes. Certains travaillent la nuit, d'autres, le jour. Quand l'équipe de nuit sortira faire sa ronde, je remonterai à la surface.

Il fait froid, dans cette pièce. Et noir. Le cœur battant, je tâtonne à la recherche d'un interrupteur sur le mur en béton. Rien. Je m'empare de mon K-pad et l'allume.

À la lueur blafarde de l'écran rétroéclairé, je constate

que je suis dans une espèce de réserve. Il y a des scooters. Des vélos électriques. Des skateboards. Des cagoules de protection. Des combinaisons de plongée. Des bouteilles de décapant. Des bonbonnes d'oxygène. Des tuyaux d'arrosage. Des rouleaux de fil électrique, de corde, de scotch gris. Des lampes torches. Des réservoirs d'hélium. Des épuisettes pour piscine. Des extincteurs. Des extracteurs de fumée. Des…

Tout le matériel dont un Pagailleur peut rêver.

— J'ai trouvé !

Et derrière moi, un Bon Samaritain répond :

— Moi aussi.

Chapitre 24

AVERTISSEMENTS : 3 000
ÉTOILES D'OR : 820

— Merci d'avoir appelé le Standard des Fayots ! Que puis-je...

— Bonjour, madame Marla.

Silence.

— Bonjour, Seamus.

— Vous avez trouvé ?

Nouveau silence.

— J'ai trouvé quoi ?

— Le mot « obstiné ». Dans le dictionnaire. Vous ne l'avez pas trouvé, quand je vous ai téléphoné, tout à l'heure.

— Pas encore. Mais si vous continuez à m'appeler, vous allez comprendre ce que veut dire « obstiné ». Et vous n'aurez pas besoin de dictionnaire.

Je me force à rire. Mme Marla, elle, ne rit pas du tout.

— C'est juste que je n'ai personne d'autre à qui parler. Il reste trois heures avant le repas de midi. J'en ai assez d'attendre que les BS m'apportent à manger. Je m'ennuie.

— En général, c'est ce qu'on fait, dans une cellule de confinement, me rétorque Mme Marla.

Je regarde autour de moi. En quatre jours, j'ai eu le temps de détailler la pièce dans laquelle on m'a enfermé.

— Vous avez sans doute raison, je soupire.

— Vous n'avez qu'à jouer au foot, reprend Mme Marla. Faire quelques paniers. Frapper quelques gardiens.

— Je ne comprends pas...

— Allumez une console de jeux vidéo ! J'ai visité la cellule de confinement, c'est un gigantesque Toys'R'Us.

Elle n'a pas tort. Pour s'ennuyer dans un endroit pareil, il faut vraiment le faire exprès. On peut jouer aux jeux vidéo. Lire. Regarder des DVD. Nager à contre-courant dans une petite piscine. Se faire un sundae au parfum qu'on veut.

Pourtant, je n'ai envie de rien.

— Il faut que je raccroche, m'annonce la standardiste. Je ne suis pas censée répondre aux coups de fil personnels. Courage ! Dans deux jours, c'est la fin du trimestre, et vous pourrez rentrer chez vous !

Je la remercie, repose le téléphone et me lève. Je n'ai pas envie de sortir du lit (qui est dix fois plus confortable et deux fois plus grand que celui du dortoir), mais je ne peux pas rester sans rien faire. Je remets la couette en place et vais prendre un bain dans la baignoire en marbre.

J'essaie de me concentrer sur le dessin animé qui passe sur l'écran plat fixé au mur. Sans succès. Je m'habille, me coiffe et m'affale sur le canapé en cuir moelleux. Si je regardais un film ? J'hésite trois secondes et décide que non.

Regarder le plafond. C'est devenu mon passe-temps préféré. Depuis quatre jours, je me repasse la scène dans ma tête.

J'ai mis une sacrée pagaille en entrant dans le quartier général des BS. Je suis le premier à avoir réussi. Ça a été la panique. Au début, les BS n'ont pas su quoi faire. Ils m'ont emmené chez Mme Marla, qui m'a donné des restes de ragoût de bœuf et un dictionnaire, avant d'aller s'enfermer en salle de réunion avec les BS pour « discuter de mon cas ». Ensuite, deux Bons Samaritains sont venus m'annoncer qu'avec Annika ils avaient décidé de me punir. J'avais commis un crime très grave, alors il fallait marquer le coup. On ne pouvait pas me faire confiance : je risquais de désobéir et de continuer à semer la pagaille. Pour m'en empêcher, il fallait m'enfermer.

D'habitude, quand on parle de « cellule de confinement », on imagine une petite pièce sombre avec des barreaux aux fenêtres, un lit et un lavabo. À Kilter, la cellule de confinement est une suite grand luxe qu'on aimerait louer à vie.

J'ai été très étonné (et très content) que les BS ne m'aient pas confisqué mon K-pad. Personne ne m'écrit, mais je continue de recevoir les messages qu'on envoie à tous les élèves : nouveautés de l'Arsenal, menus du Fastfood, bulletin de fin de trimestre. Ça m'aide à rester connecté avec le reste du collège.

J'ai regardé mes k-mails avant d'appeler Mme Marla. Ça m'étonnerait qu'on m'ait envoyé quoi que ce soit, mais je vérifie quand même. J'attrape mon K-pad posé sur la table basse. Surprise : j'ai un nouveau message.

À : s.hinkle@kilter.org
DE : arsenal@kilter.org
OBJET : La galaxie des étoiles d'or

Hé-ho, Seamus ! Qu'est-ce qui se passe ?

Sérieusement : *qu'est-ce qui se passe ?* Chaque fois qu'on fait les comptes, une nouvelle constellation d'étoiles d'or apparaît dans ton ciel de Pagailleur (qui ressemble déjà à la Voie lactée). On raconte que tu es en prison… D'après la rumeur, il y a un millier de choses amusantes à faire là-bas. Des choses beaucoup plus marrantes qu'appeler le Standard des Fayots. À moins qu'on n'ait cambriolé ta cellule de confinement. Ce qui expliquerait pourquoi tu as enregistré Marla en numéro favori.

Comme tu le sais déjà, tu as gagné 700 avertissements pour avoir réussi à pénétrer dans le QG des Bons Samaritains. Plus les 10 avertissements de la semaine. Plus quelques avertissements obtenus grâce à tes devoirs. Ce qui te fait un total de 3 000 avertissements. Malheureusement, après avoir appelé douze fois le Standard des Fayots, tu as 830 étoiles d'or. Si tu es bon en calcul, tu t'apercevras qu'il te reste 2 170 crédits (3 000 – 830 = 2 170). Si on enlève les crédits déjà dépensés (Extincteur de Poche de Folding : -20 crédits et Détecteur de Fumée avec Extincteur Intégré de Folding : -2 000 crédits), il te reste à peine… 150 crédits.

Tu peux encore t'acheter des bombes à eau miniatures ou des Sarbacanes Spirales à Boules Collantes, mais on ne prend pas les commandes en ligne. En plus, on ne livre pas à domicile. Tes petites manies téléphoniques risquent de te coûter cher. Alors un conseil : pose ce téléphone et allume la télé ! Ça te calmera peut-être.

Si la carrière de Pagailleur ne te tente plus et que tu préfères devenir astronaute, continue ta collection d'étoiles…

À ton service,

L'Équipe de l'Arsenal.

Je ferme le message, pose le K-pad sur ma poitrine et me remets à regarder le plafond. Quelques secondes plus tard, je rouvre ma boîte k-mail et je tape :

À : e.norris@kilter.org
DE : s.hinkle@kilter.org
OBJET : Excuses d'un prisonnier

Chère Élinor,

Dans les films, quand le méchant est en prison, il a le temps de réfléchir à toutes les méchancetés qu'il a faites. Il regrette tout le mal qu'il a causé. Il se dit que si on lui donnait une deuxième chance, il agirait différemment. Aujourd'hui, je sais que les réalisateurs de films n'ont rien inventé. Quand on est confiné, c'est exactement ce qui se passe.

Tout ça, je le savais bien avant d'être jeté en prison. Les Bons Samaritains ont bien fait de me punir : maintenant, je me rends compte que j'aurais dû essayer de réparer mes erreurs avant qu'il ne soit trop tard. Ma mère dit toujours : « Ne jamais remettre au lendemain ce qu'on peut faire le jour même ». En général, c'est pour m'obliger à ranger ma chambre, ou à sortir les poubelles. Mais je crois que dans des cas beaucoup plus graves, c'est valable aussi.

Je n'aurais pas dû attendre pour m'excuser. L'autre jour, quand tu t'es enfuie en apprenant ce que j'avais fait, j'aurais dû te rattraper et te dire que j'étais désolé. Désolé-désolé-désolé. J'aurais pu te le répéter un million de fois, pour que tu me croies.

Parce que je suis VRAIMENT désolé. De t'avoir caché la vérité, que tu l'aies apprise de cette façon, de t'avoir fait croire que tu pouvais me faire confiance, de ne pas m'être excusé avant d'être coincé dans cette cellule de confinement. Maintenant, c'est la fin du trimestre, et je ne te reverrai peut-être plus jamais. Ça me rend triste, parce que je ne pourrai jamais te dire en face à quel point je suis désolé. Ni combien je suis heureux de t'avoir rencontrée. Ni combien j'aurais aimé qu'on devienne amis.

C'est pour ça que je te le dis par k-mail. Ça craint un peu, mais c'est mieux que rien.

Je te souhaite un bon retour. Où que tu habites.

Seamus.

J'hésite à ajouter que je ne suis pas le seul à avoir un secret. Et puis, je me dis qu'on ne peut pas comparer ce qui n'est pas comparable. Je suis un assassin ; Élinor est la nièce d'Annika – ce n'est pas un crime. En plus, je veux que ce message soit un message d'excuses – rien d'autre. Mais je n'arrête pas de penser à l'Ultime Mission des Pagailleurs. Est-ce que je dois lui révéler le plan du Grand P ? Maintenant que je sais qu'Annika est sa tante, je ne sais pas si c'est une bonne idée. Et puis, l'image d'Élinor assise sous le belvédère me hante. Elle avait l'air si malheureuse !

> P.-S. : Tu te fiches sûrement de savoir si Annika est heureuse ou pas, mais au cas où tu voudrais prouver que tu vaux autant que les autres Pagailleurs, tu devrais aller voir Lemon. Abe, Gabby et lui veulent détruire le Pic d'Annika pour essayer de remplir l'Ultime Mission des Pagailleurs. Ils sont à court de matériel (et de crédits). Si tu leur proposes ton aide, ils ne la refuseront sûrement pas.
>
> P.-S 2 : pardon pour ce P.-S. super long !

Je vérifie que je n'ai pas fait de fautes, je place l'index au-dessus de la touche « Envoi » et j'attends. D'habitude, dans ces moments-là, j'ai toujours une hésitation. Pas cette fois. Peut-être parce que je n'ai plus rien à perdre.

Alors j'expédie le message, et fixe des yeux ma boîte de réception. Une minute passe. Cinq. Dix. Vingt.

Rien.

Je repose mon K-pad et ferme les yeux.

J'ai dû m'endormir sur le canapé sans m'en rendre compte. Je suis réveillé par les Bons Samaritains, qui tambourinent à la porte. Je me précipite pour leur ouvrir et passe devant le miroir accroché au-dessus de la commode : je suis tout décoiffé, mais on a vu pire.

J'ouvre la porte en souriant, et…

J'aurais dû prendre le temps de me recoiffer.

Élinor me fait face.

— Waouh, souffle-t-elle. Alors toi, quand tu t'excuses, tu fais pas semblant.

J'avale ma salive en lissant mes cheveux du plat de la main.

— Qu'est-ce que tu fais là ?

— J'ai suivi le conseil de ta mère.

Elle me regarde droit dans les yeux. Comme je ne trouve rien à répondre, elle précise :

— Elle a raison : il faut battre le fer tant qu'il est chaud.

— Comment t'as su où j'étais ?

— Grâce à ton k-mail, répond-elle avec un haussement d'épaules. Et puis, j'ai mes sources.

Ah oui ? Des sources du genre lien de parenté top secret ?

Je n'insiste pas, je ne veux pas obliger Élinor à m'avouer une chose qu'elle préfère garder pour elle.

— Ah bon.

On se regarde en silence pendant quelques secondes, puis elle demande :

— On y va ?

— Où ça ?

Petit sourire.

— Au Pic d'Annika, me répond-elle à mi-voix.

Malgré ce que j'ai marqué dans mon k-mail, je me dis que, logiquement, Élinor ne voudra jamais faire de mal à sa tante.

Apparemment, Élinor n'est pas logique. J'hésite quand même à la suivre :

— Je sais pas trop... J'ai pas le droit de sortir. Les BS vont bientôt arriver et...

Stop. Mais qu'est-ce qui me prend ? La plus jolie fille du monde m'a pardonné. Elle a pris tous les risques pour me faire évader, et moi, je lui parle de règlement !

Élinor veut que je m'enfuie. J'ai déjà fait bien pire. En plus, à Kilter, quand on se fait prendre, on gagne un séjour de rêve dans un hôtel cinq étoiles. Alors qu'est-ce que j'attends ?

— Je vais chercher mon anorak !

La cellule de confinement est au dernier étage des dortoirs. Une fois qu'on aura franchi la porte, je serai libre comme l'air. Pour ouvrir la porte, il faut plusieurs clés magnétiques. Élinor les a toutes. Il faut aussi plusieurs mots de passe. Élinor les connaît tous. Je lui demande comment ça se fait ; elle me répète qu'elle a ses sources. Je me cache la figure sous la capuche de mon anorak, et on s'élance dans le couloir. Il n'y a pas de BS. C'est bizarre... mais tant mieux ! On dévale les trois étages, et on sort à l'arrière du bâtiment. Un scooter 7000 de Kilter (avec side-car) nous y attend.

Élinor grimpe dessus et me montre les armes entassées dans le side-car :

— Des arcs, des flèches et deux Froomsbee. Ils n'avaient plus grand-chose, à l'Arsenal.

À côté des armes, il y a aussi des bombes de peinture, des briquets, des allumettes, du combustible, des masques de protection et des gilets ignifugés. Le side-car est plein à craquer.

— Je crois qu'il n'y a pas assez de place pour moi...

— Bien sûr que si.

Je ne comprends pas tout de suite qu'elle veut que je monte derrière elle. Qu'on s'assoie sur le même siège. Et que je passe les bras autour de sa taille.

— Tu préfères conduire ? me demande-t-elle.

— Non.

Je m'installe sur le scooter et prends le casque que

me tend Élinor. Pendant qu'elle allume le GPS intégré au tableau de bord, je jette un coup d'œil derrière nous. Elle tape « PIC D'ANNIKA » et j'attache mon casque. Quand le scooter démarre en trombe, je manque de tomber à la renverse. J'agrippe les pans du manteau d'Élinor. De justesse.

Le trajet dans la montagne n'est pas très différent de la dernière fois. Le paysage défile à toute allure. Ça ressemble à un gribouillis de bleus, de verts et de bruns. Il fait froid ; le vent me pique les yeux. Je me force à les garder ouverts, au cas où je manquerais quelque chose d'important. Par exemple, le Grand P qui reviendrait au collège en poussant des cris de triomphe. Mais surtout, je garde les yeux ouverts parce que je suis sur un *scooter* avec *Élinor*. C'est la meilleure chose qui me soit jamais arrivée. Je veux que chaque détail reste gravé dans ma mémoire.

Lorsque le scooter s'engage sur le sentier enneigé, je me décide enfin à m'excuser. Pour moi, c'est vital.

— Je suis désolé !

Le vent étouffe ma voix et m'oblige à crier :

— Et merci !

— Ne t'excuse pas ! me répond Élinor. Et ne me remercie pas !

— Tu rigoles ? T'étais pas obligée d'aider un loser comme moi ! Tu m'as fait évader de...

— Je suis pas si sympa que ça ! Il n'y a jamais eu de téléphone !

Je me penche en avant. J'ai dû mal entendre.

— Quoi ?

— L'autre soir, quand je t'ai dit que je savais où trouver un téléphone, et que tu m'as suivie de l'autre côté de la rivière... (Le scooter se cabre et passe au-dessus d'un arbre mort.) Il n'y a jamais eu de téléphone ! Je t'ai menti !

— Si, il y en a un ! Je m'en suis servi !

Le scooter ralentit un peu. Élinor s'exclame :

— Je savais pas. J'te jure !

Elle accélère.

— Pourquoi t'as menti ?

Elle me cogne le menton en haussant les épaules.

— Parce que je mens tout le temps !

Le scooter zigzague dangereusement entre les branches. Mes bras se resserrent autour de sa taille.

— J'ai cru que tu t'étais enfuie ! je hurle. Tu t'en vas toujours sans finir la conversation !

— C'est fait exprès ! Plus je discute, plus je me rapproche. Et plus je me rapproche, moins j'arrive à mentir. Alors pour éviter de devoir dire la vérité, je m'en vais !

Aussitôt, je repense à la Cérémonie des Affectations. Le tuteur d'Élinor avait essayé de nous faire croire qu'il était un extralucide aveugle. Sur le coup, ça m'avait paru bizarre. Maintenant, je comprends mieux.

Il y a autre chose que je voudrais éclaircir :

— Qu'est-ce que tu faisais, l'autre jour, sous le belvédère, avec ces photos ?

— Un devoir d'histoire un peu spécial.

À cet instant, le scooter s'envole dans les airs. J'ai l'impression de planer pendant dix longues secondes, avant qu'il atterrisse avec un bruit mat. Élinor freine, coupe le moteur et descend.

Immobile, j'observe l'arche métallique qui se dresse à trois mètres de nous. Des flocons de neige virevoltent dans le ciel. L'image d'Annika et de son père passant sous cette arche me revient en mémoire. Je ne suis pas sûr que détruire ce parc d'attractions soit une si bonne idée, finalement.

— Seamus ?

Je baisse les yeux. Élinor a posé la main sur mon bras. Malgré ses moufles, je sens sa chaleur.

— Si Annika ne voulait pas qu'on le détruise, elle ne nous aurait pas demandé de la faire pleurer, murmure-t-elle.

— Je sais.

Je reste quand même assis.

Élinor serre les doigts autour de mon bras.

— Seamus ?

Je relève les yeux. Une étincelle chaleureuse et rassurante danse dans ses yeux cuivrés.

— Tes amis ont besoin de toi, souffle-t-elle.

Après quelques secondes, je hoche la tête, descends du scooter et saisis mes armes.

— Cette fois, je ne les décevrai pas.

Chapitre 25

AVERTISSEMENTS : 3 750
ÉTOILES D'OR : 830

Élinor et moi sommes arrivés à temps : le Pic d'Annika n'a pas encore été détruit. Le Grand P s'apprête à passer à l'action. À genoux près du manège à chevaux, Lemon est en train de souffler sur un petit tas de brindilles et de papiers enflammés. Abe agite une bombe de peinture devant le stand de nourriture délabré. Gabby se faufile entre les manèges. On dirait qu'elle cherche quelque chose.

De loin, la bande paraît au point. De près, c'est très différent : Lemon fronce les sourcils, Abe a le bras qui tremble, et Gabby, les yeux écarquillés, avance, recule, avance, tout affolée, comme si elle avait peur de ne pas trouver ce qu'elle cherche.

Je ne reconnais plus le commando sûr de lui qui a vaincu M. Tempest.

Soudain, Gabby hurle :

— ON ABANDONNE LA MISSION !

— Ça va pas, non ? proteste Abe. On n'a pas encore commen...

Élinor et moi, on s'arrête à quelques mètres de lui. Gabby pointe le doigt vers nous. Lemon nous repère. Pendant plusieurs secondes, tout le monde se tait. Puis, Élinor me donne un petit coup de coude.

— On est venus vous aider.

— Non merci, grogne Abe.

Je me tourne vers Lemon :

— On a apporté du matériel. De la peinture, des briquets et plein d'autres trucs.

— T'es sourd, ou quoi ? aboie Abe. On t'a dit qu'on voulait pas...

Lemon l'interrompt d'un geste de la main, se relève et se dirige vers nous. Élinor et moi ouvrons les sacs et lui montrons les armes qu'ils contiennent.

— C'est pas vrai ! siffle Abe.

Sur un ton qui veut dire : « Laisse tomber ces gros nuls ! »

Mais Lemon regarde dans les sacs et demande :

— Ils sont neufs, les briquets ?

— Oui, lui répond Élinor. On vient de les acheter à l'Arsenal.

Il semble satisfait et examine le contenu des sacs de plus près.

— Des masques de protection... ça peut servir. (Il me regarde dans les yeux.) Avec la neige et le vent, le feu ne prend pas.

Je sens une bouffée de chaleur inonder ma poitrine.

— Tu viens, Lemon ? appelle Abe. J'ai un truc à te dire.

— Je t'écoute, réplique Lemon sans bouger d'un pouce.

Abe serre les poings à s'en faire blanchir les phalanges. Pendant un moment, je crois qu'il va refuser de parler devant nous, mais il prend une grande inspiration, pousse un soupir exagéré, puis nous rejoint à petites foulées, Gabby sur ses talons. Avec un sourire forcé, il se campe devant Élinor. Ensuite, il se tourne vers moi et étire ses lèvres un peu plus. Mais quand il s'adresse à Lemon, il ne sourit plus du tout.

— T'as déjà oublié ce que Petit Toutou des Profs a fait ? gronde-t-il. Ça sent le piège à plein nez. Je te rappelle qu'on est au sommet d'une montagne au milieu de nulle part. Si Petit Toutou nous tire dessus… non : *quand* il nous tirera dessus, on aura beau hurler, personne nous entendra.

Lemon le regarde droit dans les yeux :

— C'est bon, t'as fini ?

Un peu surpris, Abe acquiesce. Lemon enchaîne :

— Alors je *te* rappelle que, contrairement à tous les autres élèves (y compris vous deux), Seamus ne m'a *jamais* laissé tomber. J'ai failli le tuer une bonne dizaine de fois, et il ne m'a pas lâché. Il a même essayé de m'aider. S'il avait voulu m'assassiner, il l'aurait déjà fait. Et il aurait eu de très bonnes raisons de le faire.

— Mais…

— Et pour le remercier, tranche Lemon en plongeant son regard dans le mien, je lui ai tourné le dos. Je ne lui ai même pas donné l'occasion de s'expliquer. Alors que lui, il ne m'a pas abandonné. (Il regarde Abe, puis Gabby.) Il ne *nous* a pas abandonnés.

Abe fait la moue. Gabby fronce les sourcils.

— Tout le monde fait des erreurs, reprend Lemon. Mais on a le choix de les réparer, ou pas. Et Seamus nous a prouvé qu'il voulait se racheter. Plusieurs fois, même. (Il s'interrompt deux secondes.) En plus, je sais qu'il regrette ce qu'il a fait.

J'interviens :

— Oh, oui ! Je regrette à mort !

Élinor vole à mon secours :

— Je suis témoin. Vous n'avez qu'à lire son k-mail, si vous ne me croyez pas.

Un long silence fait écho à ses paroles. Je m'apprête à m'excuser pour la millième fois, mais Abe hausse les épaules et grommelle :

— Un peu d'aide, ça n'a jamais tué personne...

« Un peu d'aide » ? Ça me fait bien rigoler. Le Grand P compte s'attaquer au Pic d'Annika avec les moyens du bord. Il ne leur reste qu'une paire de lentilles de contact toutes sèches, une bombe de peinture, une boîte d'allumettes, un peu de bois d'allumage, et un jerricane d'essence que Lemon a siphonné dans le réservoir de la voiture de golf d'Annika avant de partir.

— Au début, on voulait réduire le parc en cendres, annonce Lemon. Mais quand on a vu ce qui nous restait, on a décidé de taguer les stands et d'incendier le manège à chevaux.

Très bonne idée. Le manège à chevaux est la pièce maîtresse du parc. Si on veut faire pleurer Annika, c'est cette attraction qu'il faut détruire.

Lemon explique :

— Je voulais allumer plusieurs feux tout autour du manège pour qu'ils se rejoignent et enflamment les chevaux de bois, mais avec ce temps pourri, c'est carrément impossible.

Il nous fait signe de le suivre jusqu'au petit tas de bois noirci qu'il a préparé à côté du manège.

— Le sol est trempé à cause de la neige, le feu ne prend pas : dès que j'arrive à produire quelques flammes, le vent les éteint aussitôt.

Je suggère :

— Mais avec des briquets et des masques protecteurs, ce serait plus facile, non ?

Lemon tend la main, paume vers le ciel.

— J'espère.

On se met au travail. Gabby repart à la recherche de caméras cachées, qu'elle veut casser pour retarder les BS. Abe entreprend de peindre des P majuscules sur les stands de jeux. Protégés par nos masques, Élinor et moi formons un rempart contre le vent, pendant que Lemon, un briquet dans chaque main, rallume son feu.

Parfois, Mère Nature est un peu excentrique. Comme aujourd'hui. Chaque fois qu'un feu part et qu'on en allume un autre, le premier s'éteint. On essaie de rester devant, mais la chaleur des flammes nous oblige à reculer. Le vent souffle tous les feux un par un.

Au bout de vingt minutes, Lemon s'accroupit, pose les mains sur les cuisses et secoue la tête :

— On n'y arrivera pas.

Bien sûr que si. Je fouille dans les sacs de matériel. Un agrafeuse d'atelier… Un rouleau de scotch gris… Rien qui pourrait nous aider à allumer un feu.

À cet instant, Gabby arrive en courant, essoufflée :

— J'ai pas... trouvé... de caméras. Juste une drôle de boîte qui... vibre.

— C'est pas grave, répond Lemon. On ne fait rien de mal. Tant pis si on nous voit.

Il se lève et fait signe à Abe de venir. C'est la fin. Lemon abandonne, il rend les armes. Hors de question. Je balaie le parc des yeux, à la recherche d'une idée. Vite. J'aperçois une grosse boîte grise fixée à un poteau en bois. Bingo !

Au moment où Abe arrive, je m'élance vers le poteau.

— Je le savais ! s'exclame Abe. Je savais qu'il était pas net ! Vous voyez ? Je vous l'avais bien d...

Je ne sais pas qui lui a coupé la parole, parce que je continue à courir vers le poteau sans me retourner. Je me plante dessous. Et j'écoute.

Gabby avait raison : la boîte vibre. Comme si des centaines de bourdons en colère étaient coincés dedans.

— Qu'est-ce que t'as vu ? interroge Lemon.

Je désigne la boîte du menton. Il lève les yeux et tend l'oreille. On déclare tous les deux en même temps :

— Un boîtier électrique.

On explique aux autres ce qu'on a découvert.

— Vous êtes sûrs ? demande Gabby.

— Vous croyez que les manèges fonctionnent encore au bout de vingt ans ? doute Élinor.

— Et alors ? coupe Abe.

— Oui, j'en suis sûr, répond Lemon. Il y a des lignes à haute tension qui partent de ce poteau et qui relient tous les autres. On a dû oublier de couper l'électricité.

Je me tourne vers Abe :

— Et qui dit « électricité » dit « Ultime Mission des Pagailleurs accomplie » !

Silence.

— Explique, m'ordonne Élinor.

— Le boîtier est plus haut que le toit du manège. Si on arrive à le faire tomber et à le faire exploser, il y aura une pluie d'étincelles. Ce sera comme si on allumait un million d'allumettes et de briquets en même temps.

— Dans tes rêves ! contre Abe. Un : le boîtier est à six mètres du sol et à trois mètres du manège. Deux : bon courage pour faire exploser un boîtier sans explosifs. Et trois : même si on y arrive, les étincelles s'éteindront aussi vite que les feux de Lemon. Sauf si tu sais contrôler la neige et le vent.

Il m'énerve, avec son petit air satisfait.

— Et si on arrosait d'essence le toit du manège ? suggère Lemon. Avec les étincelles, ça flamberait en moins de deux ; et le feu ne devrait pas s'éteindre. Il pourrait même faire cramer tout le manège.

— Bonne idée ! je m'exclame. Je me charge de faire tomber le boîtier sur le toit.

En trois mots, Lemon répartit les tâches. Abe, Élinor et Gabby grimpent sur le toit du manège en prenant appui sur les bancs et les chevaux de bois et se mettent à déblayer la neige. Pendant ce temps, Lemon place sur la partie tournante du manège des petits tas de brindilles, qu'il arrose de quelques gouttes d'essence. Il y a un toboggan géant tout rouillé juste en face du poteau. Génial. Depuis le sommet, j'aurai un bon angle de tir. Je prends mon sac d'armes et grimpe dessus.

Une fois le toit déblayé, Abe, Élinor et Gabby redescendent. Lemon prend leur place, verse l'essence sur le toit, saute à terre et lève les pouces. Tout est paré.

Je lève mon arc. Ferme un œil. Me concentre sur la boîte grise. Trois mètres. Ce n'est pas si loin. Je bande mon arc…

… et tire.

La flèche frôle le boîtier et se plante dans la neige.

Abe grogne. Lemon lui donne un coup de coude.

J'encoche une nouvelle flèche. Pas de panique. Je suis un peu rouillé, mais le tir à l'arc, c'est comme le vélo : ça ne s'oublie pas.

La deuxième flèche érafle le coin droit du boîtier. La troisième touche le côté gauche. La quatrième percute la porte du boîtier. La cinquième s'enfonce en plein milieu. Le boîtier oscille en grinçant.

Super.

Sauf que… je n'ai plus de flèches.

Lemon m'observe sans broncher. Abe fait les cent pas. Gabby et Élinor se serrent l'une contre l'autre pour se réchauffer. D'habitude, ça me stresse quand on me regarde. Là, bizarrement, leurs regards me réconfortent. Je sens une vague apaisante monter en moi. Je suis plus fort. Plus… déterminé.

J'attrape le Froomsbee, enlève le capteur et ramène le poignet en arrière. D'un geste assuré, je lance le disque argenté, qui touche le boîtier au même endroit que la dernière flèche. La porte en métal est cabossée. Et le boîtier commence à se décrocher.

Deuxième essai. Une gerbe d'étincelles s'envole dans les airs. Le boîtier se décroche un peu plus.

Réfléchir. Évaluer la distance. Estimer la force

nécessaire pour faire tomber le boîtier sur le toit du manège. Le poteau est loin. Et le boîtier doit peser lourd. Il pourrait tomber par terre. Ou ne pas produire assez d'étincelles pour enflammer le toit. La panique me gagne.

J'ai les mains moites dans mes gants. Je baisse les yeux vers mes copains. Personne ne bouge à part Abe, qui est en train de taguer un stand de lancer d'anneaux. Il n'espère plus. Il a peut-être raison. Je devrais laisser tomber.

Soudain, à la vue de la bombe de peinture argentée, j'ai une idée.

Je montre Abe à Lemon. Il comprend au quart de tour. Il court jusqu'au stand, donne un ordre à Abe et se campe devant l'échelle du toboggan.

— Bonne chance ! s'exclame-t-il.

Avant de me lancer la bombe de peinture.

Avec des gestes vifs et saccadés, je coupe des morceaux de scotch gris et je fixe la bombe de peinture entre les deux Froomsbee. J'admire mon nouveau projectile : on dirait un BN géant fourré au gaz carbonique.

Dernier round. Retenir son souffle... Viser... Se concentrer... Ramener le poignet en arrière... Placer le bras droit parallèle à la poitrine... Et tirer.

Le BN géant percute le boîtier de plein fouet. La bombe de peinture explose. Sous le choc, le boîtier s'envole et atterrit sur le toit du manège.

BAOUM !!!

Alors là, je vous jure que ça a pété. Et bien fort ! À côté, les bombes de l'Arsenal, c'est des pétards.

La terre a tremblé. L'échelle du toboggan a vibré.

J'ai tenté de m'accrocher à la rambarde, mais j'ai glissé à cause de mes gants. J'ai dégringolé par terre.

Pendant quelques secondes, j'ai bien cru que j'étais mort. Et puis, j'ai réussi à ouvrir un œil. Juste à temps pour voir une larme rouler sur la joue d'Annika.

— Félicitations, Seamus. Ultime Mission des Pagailleurs accomplie.

Chapitre 26

AVERTISSEMENTS : 5 000
ÉTOILES D'OR : 830

Pendant qu'Annika m'aide à me relever, j'aperçois plusieurs silhouettes dans le parc : cinq Bons Samaritains éteignent les flammes ; les membres du Grand P poussent des cris de joie ; Ike, Houdini, Wyatt, Devin, Samara, Fern et Lizzie applaudissent ; et M. Tempest se tient debout près de l'arche en métal, impassible comme toujours.

Annika me fait signe de la suivre jusqu'au manège. Elle porte une longue capeline à capuche et des gants bleu métallique, des bottes et un chapeau blanc en fourrure. Ses cheveux dénoués flottent en vagues souples sur ses épaules. Elle n'a jamais été aussi belle.

— Tu as réussi à me faire pleurer, souffle-t-elle.

— Pardon, je réponds par réflexe.

— Ne t'excuse pas. (Elle renifle et se tamponne le coin des yeux.) Je n'ai jamais été aussi fière de toute ma vie.

Je lui lance un regard sidéré. Derrière elle, les chevaux de bois sont dans un sale état. Ils n'ont plus de museau, d'yeux, de jambes, ni de queue. Autour d'eux, les flammes crépitent et la fumée tourbillonne.

— Vous pleurez parce que vous êtes *fière* ? Alors... vous n'êtes pas triste ?

— Triste ? réplique Annika. Cet endroit me rappelait trop de mauvais souvenirs ! C'est une bonne chose qu'il soit détruit. Désormais, pour moi, le Pic d'Annika symbolisera le tremplin qui a lancé la carrière d'un groupe de Pagailleurs très doués.

D'un geste, elle ordonne aux profs de s'écarter. Ils obéissent, révélant une grande table couverte de plats en argent, de seaux à glace et de flûtes de champagne.

— C'est quoi, tout ça ? je demande, abasourdi.

— Les plats préférés du Grand P, sourit Annika. Poisson pané, cidre... (Elle appelle Lemon, Abe et Gabby.) Venez ! Seamus n'aurait jamais réussi sans vous ! Vous méritez une récompense, vous aussi !

— Ça veut dire qu'on a rempli la mission ? demande Abe.

— Absolument, acquiesce Annika. Même si votre chef a gagné plus d'avertissements que vous.

— Yesss !!! s'exclament Abe et Gabby en se tapant dans la main.

Ils se dirigent vers la table, suivis par Lemon, qui a un grand sourire figé sur la figure. Je n'ai pas encore compris ce qui vient d'arriver et m'attarde un peu auprès d'Annika. J'ai des tas de questions à lui poser. Du genre :

— Comment vous avez fait pour venir ici aussi vite ? Il n'y a pas de caméras de surveillance. En plus, on ne savait pas si on allait réussir.

Tout sourire, Annika me fait un clin d'œil.

— J'ai mes sources, me chuchote-t-elle.

Avant de se diriger vers la table.

Ses sources. Comme Élinor, qui…

Mon cœur s'affole. Où est Élinor ? Je ne la vois nulle part ! Ni avec le Grand P, ni avec les profs, ni avec les BS.

— On dirait le paysage d'une boule à neige.

Une voix. À ma droite. Je tourne la tête. Plisse les yeux. La neige et la fumée m'empêchent de voir. Je distingue soudain une silhouette. Allongée sur le sol, devant le manège. Je me précipite vers elle et me laisse tomber à genoux, livide.

— Élinor ! Non !.... Que… Qu'est-ce qui…

Elle pose une main couverte d'ampoules sur mon bras, lève le menton et murmure :

— Tu ne trouves pas qu'on dirait le paysage d'une boule à neige ?

Je regarde autour de moi. La neige tombe dru, illuminée par les flammes. Une musique s'échappe d'un iPod posé sur la table. Oui… Le Pic d'Annika ressemble à un paysage enfermé dans une boule en verre brillante.

Mais je m'en contrefiche.

Parce que l'explosion a arraché le gant et la manche d'Élinor. On dirait que sa main et son bras droits sont enveloppés dans du papier bulle rose.

J'attrape mon sac à dos et hurle :

— À l'aiiide ! Elle est blessée !

Mais au même instant, quelqu'un monte le son de la musique.

Je farfouille dans mon sac. Du scotch gris… Un extincteur…

— S'il vous plaîîît ! Élinor a besoin d'aide ! Elle s'est brûlée !

Je renverse le contenu du sac dans la neige. Le volume de la musique augmente encore. Je jette un coup d'œil vers la table : les gens parlent, mangent et rient. Personne ne m'a entendu.

Je me penche vers Élinor. J'écarte avec délicatesse les mèches de cheveux qui lui tombent sur la figure.

— Ne bouge surtout pas. Je vais chercher du secours.

Elle m'adresse un pâle sourire. Après m'être assuré qu'elle était assez loin du feu, je pique un sprint jusqu'à la table et jette l'iPod à terre.

Un silence de mort envahit le parc d'attractions.

— Venez vite ! Élinor va mal ! Elle est blessée !

En temps normal, Annika, les profs et les membres du Grand P auraient lâché leurs fourchettes et se seraient rués vers Élinor. Les Bons Samaritains auraient commencé à soigner ses brûlures. Annika aurait appelé un hélico qui l'aurait emmenée à l'hôpital le plus proche. Quelques profs (ou peut-être Annika en personne) l'auraient accompagnée pour qu'elle ne soit pas seule. Et nous, on aurait fini d'éteindre le feu et on serait rentrés au collège, où on se serait fait un sang d'encre en attendant qu'on nous donne de ses nouvelles.

Cependant ça ne s'est pas du tout passé comme ça.

Lemon, Abe et Gabby ont bien lâché leurs fourchettes

et se sont rués vers Élinor. Les profs ont échangé des regards inquiets, mais ils n'ont pas bougé. Annika a froncé les sourcils, scruté la neige, sorti son K-pad de sous sa capeline, tapé un message rapide, rangé son K-pad et m'a souri.

— Merci, Seamus. Ça ira.

C'est tout.

Je regarde autour de moi. Un Bon Samaritain s'accroupit à côté d'Élinor et sort des bandages de sa banane.

Je me retourne vers Annika, paniqué :

— Et les autres BS, qu'est-ce qu'ils font ? Élinor est gravement blessée ! On gèle, ici ! Il faut l'évacuer d'urgence !

Annika sourit encore, mais elle a les lèvres pincées et les yeux plissés. Elle me tend un verre et annonce d'une voix calme :

— Tout est sous contrôle. Bois un peu de cidre, et détends-toi.

La mâchoire m'en tombe. Qu'Annika se fiche de savoir si un Pagailleur est blessé, passe encore. Mais Élinor est sa *nièce* ! Elle devrait être super inquiète ! Je ne sais pas, moi... courir partout, aboyer des ordres, s'affoler un peu, quoi !

Je recule en secouant la tête. D'abord lentement, puis de plus en plus vite. Je suis en train de vivre un cauchemar. Annika n'est pas un monstre. Elle va se reprendre. Elle va réagir. Elle va...

Elle ramasse l'iPod et rallume la musique.

Je fais demi-tour et rejoins Élinor en courant. Elle est en train de s'asseoir. Le BS lui a déjà bandé le bras et la main. Abe, Gabby et Lemon sont à genoux dans la neige, autour d'elle. Quand le Bon Samaritain part chercher d'autres bandages, Lemon se penche vers moi et chuchote :

— Les brûlures, je connais. Faut qu'on amène Élinor aux urgences. On n'a qu'à la faire redescendre dans le side-car. On appellera les secours une fois en bas.

Pétrifié, incapable d'articuler un mot, je hoche la tête.

Je regarde Élinor passer le bras droit autour des épaules d'Abe, et le gauche autour des épaules de Lemon. Ils zigzaguent entre les stands de nourriture et les baraques foraines, et passent sous l'arche en métal. Je me tourne vers les profs : est-ce qu'ils se sont aperçus qu'une de leurs élèves avait un problème ? Élinor a failli mourir, et eux, ils font la fête !

Tout à coup, mon K-pad vibre. J'ai reçu un message. Je ramasse le mini-ordinateur qui était tombé dans la neige et lis :

> Cher Seamus,
>
> Pardon d'avoir mis tant de temps à te répondre. Je viens juste de rentrer de vacances et de lire ton e-mail.
>
> Je voulais que tu saches que je suis très contente que tu m'aies écrit, et que j'ai beaucoup apprécié tout ce que tu m'as dit. Ce n'est pas toujours facile d'être prof, mais ça l'est encore moins d'être élève.
>
> Ne pense surtout pas que je suis triste ou furieuse à cause de ce qui s'est passé : je ne t'en veux pas. Tu as essayé de m'aider ; c'était très courageux. Je t'en serai éternellement reconnaissante.
>
> Alors n'hésite pas à m'écrire ! Je te répondrai avec plaisir.

— Hé, Seamus ! Tu vas choisir qui ?

Ike m'appelle. Je relève la tête. Je ne sens plus mes joues, ni mon nez. Des stalactites pendent de mes narines. Les profs ont dû remarquer que tous les autres Pagailleurs étaient partis, mais apparemment, ça ne leur fait ni chaud ni froid.

— De quoi tu parles ?

— Tu vas choisir qui pour ta première mission de combat en extérieur ? reprend Ike.

Dans un demi-brouillard, je vois Houdini, Wyatt, Devin et les autres me faire « coucou » de la main. J'avais oublié : Annika a parlé d'une mission top secret. Elle a même dit qu'on pourrait choisir un prof pour nous accompagner.

Mais je suis incapable de répondre, assommé par les quatre mots qui s'affichent en bas de l'écran de mon K-pad :

À bientôt,
Mademoiselle Parsippany.

Ouvrage composé par
PCA – 44400 Rezé

Cet ouvrage a été imprimé
en Espagne par

Industria Grafica Cayfosa,
(Impresia Iberica)

Dépôt légal : novembre 2014
Suite du premier tirage : février 2016

Pocket Jeunesse, une marque d'Univers Poche,
est un éditeur qui s'engage pour
la préservation de son environnement
et qui utilise du papier fabriqué à partir
de bois provenant de forêts gérées
de manière responsable.

12, avenue d'Italie – 75627 Paris Cedex 13